二つの世界大戦

の道

ドイツ

跡から

夫

JN013282

えにし書房

二つの世界大戦への道　目次

はじめに

今日、近現代史という言葉が一般に用いられている。その場合、いつ近代が終わり現代になったのかは、いろいろな説があるが、第一次世界大戦前後の時代とする説が最も多い。だが、歴史学は過去を対象とする学問であるから、現代は歴史とはならない。政治学が現代を論じることはできるが、歴史学の対象にはなりえない。なぜなら、五、六十年も経ない時代は、研究のための史料（ことに文書館史料）が公開されていないからという説も今日なお有力である。

それでも、終わったばかりの過去を現代史の対象としたのは、第二次世界大戦直後の西ドイツであった。大戦の終了とナチスの崩壊とによって、今後は「新しい始まり」とし、過去との断絶が決意されたからである。十九世紀後半から、帝政ドイツ、第一次世界大戦、ワイマール共和国、ナチスの支配とその滅亡の時代を、身をもって体験した、二十世紀最大の歴史家の一人とされるフリードリヒ・マイネッケは、一九四六年『ドイツの破局』と題する論文を世に問うた。この表題からも、大戦後の時代と過去との連続を認めようとしない決意がうかがえる。すなわち、第二次世界大戦は既に「過去」の事件であり、歴史の対象となり得るのである。事実、一九四六年九月に「現代史資料研究所」が、一九五〇年に「ナチス時代のドイツ研究所」が設立され、一九五二年には、それが「現代史研究所」と改称されて今日に至っている。この場合、「現代史」とは、ナチス時代からさかのぼって、第一次世界大戦、そしてその「前史」として、一八七一年の帝政ドイツの成立までの時代を対象とするのである。

さて筆者個人にとっての「現代史」は、何時から始まるのか？　筆者は昭和二年（一九二七）の生まれである。小学校入学前後から、記憶に残っているものがある。それらのうち、現代史として記憶すべきものと思われるものを採りあげてみた。

この書は、二つの世界大戦の時代についての「通史」ではない。「通史」なら、この時代の中で頗る大きな役割を演じた米国やソ連に関する記述が多くあるはずであるが、ここでは、あまり触れていない。第一次世界大戦に関しては、一九六四年、大戦勃発五十年にあたってドイツで発表された、開戦当時の各国の事情の記事が、本書に多く利用された。第二次世界大戦の記述の中では、筆者自らの体験もあるが、最も興味をもったナチス・ドイツに関する部分が多く記されている。それらの内容も、学術書としてではなく、一般読者が興味を抱くであろうと思われる記事も併せて記した。

1　現代と現代史

この現代には、近代とは異なる特色が当然幾つかあげられる。それらは第一次世界大戦と密接な関係がある。まず、ナショナリズムの変質である。近代、ことに十九世紀は、民族の自由を標榜する、健全と思われるナショナリズムが認められてきた。だが現代に入ると、それが「負」の特色としても現れる。ファシズムや全体主義への変質である。また、近代の「市民社会」は、現代の「大衆社会」へと移行したが、市民には、啓蒙思想の影響の下、共通の「良識」が備わっており、それゆえ、民主主義の多数決原理による決定は「より良きもの」とされた。大衆となると、そこには、付和雷同の徒も現れる。多数決原理による決定が必ずしも「良い」とは限らなくなる。そこから、ファシズムや全体主義の成立も可能になったのである。

次に、戦争についても、近代の国民戦争（national war）から、現代の全体戦争（total war）への変質が認められる。国民戦争の時代は、それ以前のような、外国人を含む傭兵部隊に代わって、多くは義務兵役によって、選ばれた青年男子が戦場に赴き、一般国民は、その戦いを「銃後」から声援するのが一般であった。現代の全体戦争となると、状況が全く変わってくる。それは「総力戦」と言われ、戦闘とその惨害は、軍隊のみならず、国民全体に及ぶものとなった。戦中の日本での「銃後も戦場だ」との叫びは、これを如実に示すものであろう。

日本の場合、第二次世界大戦末期の一九四五年三月から、東京をはじめ日本の主要都市は、米軍爆撃機の攻撃を受けて焦土と化し、その犠牲者の数は、戦場で死んだ兵士を上回るほどであった。犠牲者は国民の全てにわたるようになったのである。

さて次に現代史をみると、まず初めになされたのは、ランケ史学の伝統にしたがって、知りうる限りの史料に基づいて、大戦の原因、経過、そして終結と、時代順に見ていく事件史の記述であった。だが、これとは別に、時代の横の断面を考察する記述も現れる。『イタリア・ルネサンスの文化』の名著を世に問うたブルクハルトの流儀にしたがって、世界大戦期の社会、文化、人間の観察である。ブルクハルト自身も、その晩年期にあたる十九世紀末の時代を、自らの体験に基づいて鋭い考察を行っている。彼の遺著『世界史的考察』の中では、普仏戦争の後に、ドイツ帝国の成立を見た一八七一年以後の時代を、経済の発展による表面上の繁栄の中に、「文明化された野蛮」、「単純化する恐るべき人々」を見、人間が理想とした自由から、権力国家の出現を目の当たりにして、すでに次に到来する戦争がもたらす悲劇を予想していたのである。フリードリヒ・マイネッケは、このブルクハルトを、「我々の問題を、早くもその最初の出現において、同時代のどんな思想家も及ばぬほど、鋭く捉えていた」と讃えている。

2　世界大戦という前代未聞の悲劇

二十世紀に入ると、人類は二度の世界大戦という大悲劇を体験した。それ以前の戦争では、普仏戦争や日露戦争でも判るように、対立する二国間で戦闘がなされ、最後の決戦で勝敗が決したかと思われると、日露戦争のように、第三国からの仲介もあって、講和会議が開かれた。双方の代表は、対等の立場で会議に臨み、恰《あたか》もスポーツ決戦の後のように、相互にその健闘を称え合うことすらあった。もとより、勝った国のほうに有利な条件で講和条約が結ばれるのは当然であった。

世界大戦となると、状況は一変した。列強と呼ばれる国家群は二大陣営に分かれ、戦争にあたって守るべき国際法もほとんど無視され、敵国に対する憎悪をあらわにし、戦闘能力がほとんど失われるまで、しかも最後の勝利を信じて死に物狂いで闘った。戦場は主としてヨーロッパであったが、近東、アジア、アフリカにおいても戦闘が展開され、地球上のすべての海域が戦場になった。戦闘による悲劇のみならず、一般市民の生活の場も攻撃の対象となるばかりか、長引く戦争のために、全国民は食料不足による栄養失調など、さまざまな不幸に見舞われた。

それゆえ、このような悲劇を二度と繰り返してはならぬということは、ほとんど全ての人々の感慨であった。戦後のパリ講和会議において、その条約の第一編には、国際連盟規約が掲げられ、締約国は、国家間の紛争を、今後戦争に訴えない義務を受諾した。その後、一九二一年のワシントン、一九三〇年のロンドンで軍縮条約も調印され、また一九二八年には「不戦条約」も締結された。今後、戦争をしないための方策が次々と打ち出されたのである。

ところがこの講和後、大戦中のフランス軍の英雄フォッシュ元帥は、「この条約は、講和ではなく、休戦にすぎない。この休戦は二十年続く」と予言した。ドイツの文豪トーマス・マンの子で、歴史家のゴーロ・マンは、「一九三九年の第二次世界大戦の開始を見ると、この予言は驚嘆に価する」という。

さらにまた、両大戦において戦った双方について見ると、独対英・仏・露（第二次ではソ連）・米の繰り返しで、日本のみが、第二次では、連合国側からドイツ枢軸国側に乗り移り、第一次世界大戦の時とは比較にならない、大きな負の役割を果たした。またイタリアは、第一次では、ドイツ側から、いち早く連合国側に鞍替えし、第二次では、ドイツの旗色が悪くなった時、政変によってファシスト政権が倒れると、新政府は機を見て講和し、連合国側に転向している。

登場人物についていては、英国のウィンストン・チャーチルは、第一次では、海相・軍需相、第二次では、首相として決定的な役割を果たした。米国のフランクリン・ルーズベルト大統領は、第一次のウィルソン大統領の繰り返しのように見える。この二人の大統領の、戦後の基本構想には大差はない。

ドイツはと言えば、ヒトラーが、第一次のカイザー・ヴィルヘルム二世と戦争末期の独裁者ルーデンドルフの繰り返しである。「当時はカイザーであった。今は私がそれである」とはヒトラー自身の発言であった。ヒトラーの心中にあったのは、次の戦争では、「ドイツの敗北を繰り返さぬ」であった。彼は、大戦中勇敢な兵士として抜群の功があった。生命を賭しての戦闘こそ、彼の生き甲斐であった。ドイツが敗北して和を講じた時、ヒトラーは戦闘に負けたとは信じなかった。それゆえ、「今度こそ勝つ」との決意を固めたのである。

その後、政治家となった彼は、取るべき方針として初め、次の三点を心に決めた。

(一) 全ドイツ国民が一致して最後の勝利まで戦闘に従事する。平和運動など、もってのほかである。

(二) 国の東西など、多方面に戦線は作らず、各個撃破で、一国ずつ倒していく。

(三) 長期戦に至らず、いわゆる電撃戦で勝利する。

このヒトラーの戦争指導は、初めのうちは、うまく進んだように見えた。しかしのちには、彼の思惑通りには進まず、戦線は多方面に広がって、その結果、次第に彼自身とナチスの滅亡への道を辿ったのである。

3　第一次世界大戦「前史」

この「前史」とは、世界大戦が開始される以前に、大戦の原因となる現象が、幾つか醸成された時代の歴史である。

第一次世界大戦の遠因として筆頭にあげられるものには、伯父の大ナポレオンの遺志を継いで、再びヨーロッパに覇を唱えようとしたナポレオン三世と新興の強国プロイセン・ドイツとの角逐である。この普仏戦争では、プロイセン宰相ビスマルクの巧妙な外交と天才的な参謀総長モルトケの作戦の前に、ナポレオン三世は、自ら捕虜になるという無残な敗北を味わった。勝利を誇ったドイツは、一八七一年一月十八日、フランス人が誇りとするヴェルサイユ宮殿において、ドイツ帝国の成立を宣言し、プロイセン王ヴィルヘルム一世が初代ドイツ皇帝の位についた。また講和条約において、ライン川左岸の地アルザスとロレーヌがドイツに割譲された。この二地方のうち、ロレーヌはフランス語圏であり、アルザスの住民は、ドイツ語方言を話す者が多かったが、フランスへの帰属意識は強く、それゆえ、この敗北はフランス国民にとって、大きな屈辱であった。さらに敗戦国として、賠償金五十億フランが課せられた。愛国的なフランス人が、その復讐を誓ったのも、当時としては当然のことであった。他方、戦勝国となって、オーストリアを除くドイツ人が統一を成し遂げ、「ドイツ帝国」というヨーロッパの強国が成立すると、そのドイツ人がさらに進んでヨーロッパでの覇権を目指しても不思議はない。

マックス・ウェーバーは、一八九四年、フライブルク大学教授の就任にあたって、次のように発言している。「ドイツの統一が、この国家の終着点であって、ドイツの世界強国政策の出発点でないとするならば、それは、国民がかつて行った児戯に等しく、その高価のゆえに、しないほうが良かったようなものだ」と。だがドイツ帝国宰相となったビスマルクは、その時、「今、ドイツ人は、満腹の状態だ。さらなる野望に燃えるよりも、しばらく現状維持のままでよい」と考えた。さらに彼は、一八七四年、ロシア政府に対して、ドイツは今、獲得したものを確保するだけで、それ以上のものを望んでいないと確言した。そしてこの時点におけるドイツの役割をヨーロッパ諸国間の対立、ことにバルカン半島や小アジアにおける紛争を調停する「誠実な仲介者」としようと試みたのである。一八七八年のベルリン国際会議はその現れであった。またドイツに恨みを抱き、復讐すると思われたフランスを孤立化する政策に専念する。さらに君主制を守るため、一八七二年ドイツ、オーストリア、ロシアの三帝協商も出現した。これは三国の利害が一致しない場合が多くなったが、それでも、一八八一年に三帝同盟になり、ともかく一八八七年まで存続した。

ドイツは帝国成立後、自由貿易政策を取っていたが、一八七三年にオーストリアに生じた金融恐慌が全ヨーロッパ、米国に波及し、各国はカルテルを結成して、この危機に対応した。この頃、ドイツでは、ロシアからの安い穀物の輸入によって、国内の農業が危機に陥り、工業界も西欧先進国との競争のため、一八七九年、保護関税政策が取られるに至った。

またこれより先、ビスマルクは、すでにロシアとの友好関係の破綻を予想して、一八七九年、オーストリアと秘密の同盟を締結した。これはロシアを仮想敵国とするものであった。一八九三年には、ドイツ政府はさらに、ロシアに対する関税を値上げして両国関係はいっそう険悪になった。

だが、この頃からドイツ産業は、飛躍的に発展を遂げ、一八八〇年代から一九一〇年代までにその経済力は、先進の英国、新興の米国に迫るほどになった。外交関係では、ドイツ、オーストリア、イタリアとの三国同盟が、一八八二年に締結された。これはアフリカ問題やローマ教皇問題などで、フランスと対立していたイタリアを、ドイツ側が招き入れた結果であった。この同盟は一八八七年、一八九一年と二度更新され、一九一五年まで継続した。

他方、ロシアはドイツに対する憤りから、フランスとの軍事同盟が一八九四年に結ばれ、さらにドイツと経済的に対立する英国も交えて一九〇七年の三国協商が成立した。

フランスでは、ドイツとの戦闘で皇帝ナポレオン三世が、一八七〇年九月四日、プロイセン軍に捕虜になったことが伝えられると、パリでは民衆が蜂起して帝政が崩壊し共和制となった。新共和国政府は、ドイツと屈辱的な講和を結ばざるを得ず、そのためこれに憤った民衆の支持を受けることなく、国内は、共和派と王政復古派などとの対立もあり、安定した穏健共和派の政府が確立したのは、一八七九年以後となった。

この間、フランスのドイツに対する復讐熱は衰えず、ことに一八八六年陸相となったブーランジェ将軍は、対ドイツ強硬政策や反議会、排外愛国主義を唱えて、一時民衆の人気を集めた。ドイツ側も対仏戦争を予想して、軍備の充実を図った。フランス共和国政府は、ブーランジェ将軍を退役させると、彼は国民議会議員となり、クーデターの機運も生じたが、彼はそこまでの勇気をもたず、叛逆罪が予想されるまでになると、国外に亡命し、しかも個人的な理由で自殺してしまったので、この事件は収まった。

この間、フランス共和国政府は、アフリカ大陸や東南アジアで植民地の獲得に狂奔し、英国に次ぐ第二の植民地帝国が実現した。この対外進出と対独復讐熱とが結びついて、フランスも世界大戦への道に入ることになる。

4　帝国主義の結果としての世界大戦

十九世紀の末期は、ナショナリズムと共に、帝国主義が全盛の時代であった。資本主義が最高度に発展して、独占的段階に達した欧米の諸強国は、互いに争い、他を圧倒して覇権を握ろうと努めた。宰相ビスマルクの辞任後、代わってドイツの「新航路」を取った皇帝ヴィルヘルム二世の政策は必然的に欧米諸国と対立するに至る。帝国主義国家間の対立競合には、勝利のため、国家のみに与えられる「特権」の戦争が当然の手段として用いられた。しかもその国家目的に対立する敵国に対しては、激しい憎しみに燃え、殲滅戦を手段としたのである。またこの世紀に飛躍的発達した銃火器、戦車、飛行機、そのほかの新兵器の威力は、凄惨な死傷者の数を増大させた。

この悲劇を目の当たりにして、反戦平和の運動も生じてくる。まず「剣は鞘に納めなさい。剣を取る者は、皆、剣で滅びる」という聖書の言葉を、文字通り実行しようとするキリスト教徒（特にクエーカー教徒）が登場した。早くも一八一五年にはニューヨーク、翌年ロンドンに平和協会の成立をみた。また資本主義の高度な発達に対して、その犠牲となる労働者の国際的連帯も生じ、一八六四年のロンドンの「第一インターナショナル」から「第二」、「第三」と戦争反対、国際平和が訴えられた。だが、個人の「理性」が、殺傷を必然的にもたらす戦争を批判するようには、いわゆる「国家理性」は、その目的達成の手段としての戦争を否定することはできなかったのである。

一八七〇年の普仏戦争以来、しばらくヨーロッパでは硝煙を見なかったが、十九世紀末から二十世紀初頭にかけて、人々の間では、三、四十年に一度は戦争があるとの俗説も手伝って、戦争、ことにフランスの対独復讐戦争が近いとの噂が飛び交った。するとドイツでは、どうせ戦争になるなら、先手を打って敵を打倒しようとの「予防戦争」も論ぜられるに至る。一九〇五年の「シュリーフェン・プラン」は、まさにドイツがフランス、ロシアとの戦争を想定し、勝利の方程式として策定されたものであった。参謀総長アルフレート・シュリーフェンの確信によれば、ドイツはすでに、ロシアとフランスによって挟み撃ちにされている状態であるが、この両国との戦闘での勝利のためには、まずドイツ軍の大部分を西部戦線に投入し、しかも強力な要塞の存在するロレーヌ地方からの攻撃を避けて、中立国ベルギーを通過してフランスに侵入し、一気に短期戦の勝利を占める。その間、東部戦線では、ロシア軍のドイツ領への侵入も考えられるが、この国の総動員は、恐らく四、五週間はかかるから、ドイツ軍の損害は悲観する程のものではなく、その後、全力を対ロシアに投じて勝利し、このようにしてドイツ帝国は、東西の敵国を打倒して、ヨーロッパ覇権への道を邁進できるとされたのである。

5　ナショナリズムの倫理

ヨーロッパでは、近代に入ると、国民は、自らの国家のために献身的に働くことが求められた。ナショナリズムの倫理の強制である。各国は同じくナショナリズムを標榜する他国と対立し、その闘争に勝利すれば、敗戦国を自国の支配下に置くことも稀ではなかった（ポーランドの悲劇はその実例である）。その中から「強国」と呼ばれる国家群が出現した。近代の成立後、時代別にそれらは、スペイン、フランス、英国、ロシア、オーストリア、ドイツ、イタリアである。これらの強国は、闘争の中から抜きん出て、他を圧する「覇権」を握ろうと努めた。ルードヴィヒ・デヒーヨの著『勢力均衡か覇権か』（一九四八年）によれば、近代に入って時代順に、スペインのフェリペ二世、フランスのルイ十四世、オーストリアのマリア・テレジア、フランスのナポレオンが、ヨーロッパの覇権国の支配者とされたが、これに反対して、再び均衡を取り戻そうとする国家があり、その役割を担ったのが島国の英国であったという。そして二十世紀に入って、最後に覇権の野望を抱いたのが、新生ドイツ帝国のヴィルヘルム二世であり、それに反対して「均衡」のままにとどめようとしたのが英国であった。

それより前、宰相ビスマルクの指導下にあるドイツは、初めは「地固め」のため、外に向かっての拡大を控えていた。しかしドイツは中小国に分裂したままではならぬ、統一してヨーロッパの「強国」になるべきとは、彼の確固たる信念であった。このことは、かの「岩倉遣外使節」が一八七三年三月九日から、三週間ベルリンに滞在し、ビスマルクの招宴の際に、日本人への次のような挨拶でも知ることができる。

「地球上のあらゆる国々は礼儀正しく友好的に交際しているようだが、実は、表面上だけのことである。各国政府の考えは別であって、強国は常に弱小国を圧迫し、小国は大国に軽蔑されている。わがプロイセンは、私が若い頃は貧しく弱い国であった。その頃から私が常に思っていたのは、わが国は強大にならねばならぬということだった。

国際法は、各国の法的秩序を互いに正しく保持するため、もし強国が他国と利害を異にした場合、何よりも国際法に従って行動すべきなのだが、それとても強国にとって有利である場合に限られている。そうでなかったら、強国は国際法を無視して「暴力」によって要求を通そうとする。小国は暴力を行使しえないから、国際法の規定に沿って行動するよりほかない。それゆえ、小国は常に不利であり、悲しむべき状態にある。つまり自力で守ることができないのである。わがプロイセンも弱小国として長らく遺憾な状態にあった。そこで我々は全力を傾けて、他の国々と同等になろうと努めた。そのため、我々はありとあらゆる方法で、祖国愛を養成し、それによって今日の地位に達したのである。（中略）英仏は、外国で侵略を続け、植民地を拡大しており、他の国々はそれを憤っている。ヨーロッパの列強の友好は信用することができない。あなた方の国は、ちょうどかつてのプロイセンのようである。私はこの事情を真にわが事のように考えることができる。なぜなら私は、今やっと今日の立場まで興隆したものの、その弱小国の中で生まれた者だからである。我々は、わが権利と自立を守らねばならない。日本も同様であろう。この関係のゆえに、我々は特に友好的に交際しなければならない」

岩倉使節団は、欧米諸国を旅行中、かの「不平等条約」の改訂を求めたが、成功しなかった。この失敗は明治政府をして、国家の近代化、つまり「富国強兵」への努力に拍車をかけたことは言うまでもない。さて、今やヨーロッパの「強国」となったドイツ帝国は、ビスマルクの引退後、さらなる「覇権」を目指すことになった。若き新帝ヴィルヘルム二世のもと、「ヨーロッパの強国」を超えて「世界強国」の野望を抱くに至るのである。

しかしドイツ帝国はその時すでに、露仏同盟によって、東西二正面戦争を強いられ、さらに英国もドイツと対抗するに至ったから、この三大強国によるドイツ包囲戦が現実のものになっていた。ドイツ帝国政府は、この三国に対する戦いの目的を「国土防衛」と全国民に訴えて、国論の統一を計った。これは成功を収め、これまで野党として反政府、反戦平和の方針を貫いてきた社会民主党とも「城内平和」を結び、戦争遂行に協力させることができた。すなわち、東からロシア軍、西からフランス軍の挟撃を受けて、ドイツ国民は、もはや国内問題で論争に終始すべき時ではなく、全国民一致して防衛にあたるべきであるという「戦争目的」が成立したのである。これは、交戦国や中立の第三国に対しても、やむを得ざる正義の戦争の遂行として宣伝された。

だがまた一八七一年に統一国家を完成したドイツでは、それが更なる飛躍の出発点にすぎず、ヨーロッパの一強国から、世界強国ドイツへの道を進む野望も信じられていた。その達成のためには、妨害する国家との戦いは必然的であり、勝利こそドイツ人の理想を可能にするものと思われたのである。かくしてドイツ帝国は、その実現への第一歩として、世界大戦への道に踏み入れたが、それは予期に反して惨憺たる敗北の結果に終わった。勝利の連合国との間に締結されたヴェルサイユ条約は、ドイツとその同盟国に、戦争勃発の「単独責任」を負わせ、莫大な賠償金を強制したのである。

その後のワイマール共和国において、ドイツ人たちの努力は、「単独責任論」という、歴史的証言というよりも、むしろ政治の道具に似た断言をくつがえすことに向けられた。大戦勃発以前のドイツの膨大な外交史料も公開され、当時の責任ある政治家の回顧録なども続々と出版され、また戦勝国側の歴史家も、戦争原因の問題に真剣に取り組んだ結果、ドイツの「単独責任論」は、次第に影の薄いものになっていった。

6　フリッツ・フィッシャーの新説

第二次世界大戦の後、ナチスの滅亡と共に、ドイツ、特に西ドイツでは、客観的な歴史研究の道が開かれたが、歴史研究者にとって当面の課題は、何よりもまず第二次世界大戦の反省であり、そこからさらにさかのぼって、第一次世界大戦の原因の考察にまで至るには、かなりの歳月を要した。一九五九年になって初めて、ハンブルク大学教授のフリッツ・フィッシャーは、第一次世界大戦のドイツ帝国の「戦争目的」についての論文を発表したが、これに対する激しい批判に対して、一九六一年、『世界強国への道』（村瀬興雄、他訳、一九六六年、岩波書店）と題する八百頁を越える大作を公表した。フィッシャーは、大戦を体験しない世代に属するドイツ人として、第一次世界大戦におけるドイツ帝国の責任を改めて指摘すると共に、ドイツ帝国からナチス・ドイツに至る歴史の連続を改めて強調した。この主張は、ドイツの歴史学会において激論を引き起こし、ことに一九六四年十月、ベルリンで開催されたドイツ歴史家会議では、五時間にわたる討論のテーマとなり、また翌年八月、ウィーンにおける国際歴史家会議でも激論が交わされた。そこで、フィッシャー説の概要を四つのテーゼで紹介してみよう。

第一に、一八七一年、統一国家を完成したドイツは、さらにヨーロッパの覇権を求めての道を選んだ。その達成のためには、妨害する国家との戦いは必然的であり、その勝利こそドイツ人の理想を可能にするものと思われた。それゆえ、大戦以前から、ドイツでは勝利によって獲得するものについて議論が百出していた。特に経済界、政界、各王朝の代表者たちは、戦端が開かれて、ドイツ軍が怒涛のように西部戦線を進撃し、東部戦線でもロシア軍を撃破したとの報が到ると、ドイツの領土拡張、つまり具体的な「併合要求」を発表した。コンツェルンのクルップ、右翼全ドイツ派の代表クラース、バイエルン国王ルードヴィヒ二世など、その発言は数あまたであった。

その中でも、カトリック中央党のマティアス・エルツベルガーが一九一四年九月二日に発表した「戦争目的覚書」は、ほとんどそのまま、宰相ベートマン・ホルヴェークによって「九月覚書」として採用された。それは、一九一四年九月初め（つまりマルヌの戦闘の前、西部戦線において、ドイツの軍事行動の最も華々しかった時）で、このプログラムは戦局の展開につれ、若干の変更はあったにしても、原則的には修正されずに貫かれた。この世界強国への歩みは、特に中欧を統合し、それをドイツの支配下に置くことによって実現される。また、ドイツがこの道を進む時、立ちふさがる両強国、すなわち大英帝国とロシアを打破するために、近東ないしインドのイスラム世界の反英運動を扇動し、ツァーに反抗するボルシェヴィズム革命を支援する方針が取られた。またドイツとの国境にある弱小の「いわゆる中立諸国」の除去があげられ、これによって、ヨーロッパ大陸におけるドイツの軍事的覇権が達成される。具体的には、ロシアのくびきから、非ロシア系の民族を解放して、ポーランド王国を建設させ、それをドイツの指導下に置き、またベルギー全土及びフランスの海岸地帯は、ドイツが軍事支配し、さらにアフリカでは、ベルギー領、フランス領コンゴ、英領ナイジェリアなどをドイツ領とし、ここに英国領のインドに比すべき、巨大なドイツ領中央アフリカが創建されるのである。

第二に、大戦前の「世界政策」時代のドイツの政策と、第一次世界大戦中の帝政ドイツの戦争目的との間には連続性があり、それゆえ一九一四年七月から八月の、大戦勃発に際してドイツが演じた役割は、これまでドイツの伝統的な見解より、はるかに大きい。つまり帝政ドイツは決して防衛戦争を行ったのではなく、意識的にロシア及びフランスとの衝突を起こるまま放任し、本来の戦争目的の達成を、自己の政策の欠くべからざる要求とみなしていた。この戦争目的の形成にあたっては、外国に対しても、自国民に対しても、ロシア、フランスから「奇襲」されたとして、自国の「安全と保障」という言葉によって防衛的な性格を強調して、真の「戦争目的」の隠蔽のために利用していた。

第三に、ドイツの戦争目的のプログラムは、全ドイツ派やヒンデンブルク、ルーデンドルフを頂点とする軍指導部や右翼政党のプログラムなのではない。また、宰相ベートマン・ホルヴェークやそのほかの指導的人物の戦争目的でもなく、「ドイツの戦争目的」であり、またそれは、「第一次世界大戦のドイツの政治意志の具体的表現」なのである。すなわちドイツの戦争目的は、軍部、政府のみならず、帝国議会では、保守派から社会民主党まで、また経済界の指導層、教養文化人、ジャーナリストを含める実に広い層によって支持されていた。

最後に、第一次世界大戦下のドイツの政策理念や目標設定は、戦後においてもなお残っており、それは例えば、シュトレーゼマンの修正主義やフォン・ゼークトの外交にも現れている。そしてフィッシャーが、膨大な未知の資料によって引き出した結論は、さらに広く二十世紀初頭から一九一四年を経て、ワイマール共和国の時代から一九三九年に至る二十世紀ドイツ史の連続性の存在である。すなわち戦前のビューロー、戦中のベートマン＝ホルヴェーク、そして戦後の外相シュトレーゼマン、そしてアドルフ・ヒトラーは、本質的には同じ政策を遂行した。第一次世界大戦は、第二次世界大戦と同じように、戦争を手段として世界強国を建設しようと志した国家によって生じたのである。

右のようなフリッツ・フィッシャーの新しい見解は、当時のドイツの歴史学会に「爆弾」を投じたと言われるほどの衝撃を与えた。その新しさは、ドイツは帝国成立以来、第一次世界大戦の時代はもとより、その後のワイマール共和国の時代を経て、ナチス政権によって起こされた第二次世界大戦に至るまで、一貫して「世界強国の地位」を求め、そのためには、戦争をも当然の手段とした、ドイツ史の「連続性」を認めたことによる。またこの新説は、彼が今まで全く未使用であった、ポツダム、メルセブルク、ボン、コープレンツ、ミュンヘン、カールスルーエ、ウィーンなど、ドイツ、オーストリアの文書館史料によって得た結果であり、それらから判る歴史的事実には、何人も反論し得なかった。ただそこからの結論、すなわちドイツは、十九世紀後半のドイツ帝国成立以来、第一次世界大戦、ワイマール共和国を経て、ナチス第三帝国に至るまで、世界強国への野望を持ち続け、そのための手段として戦争と侵略とを当然のこととしていたと思われる見解には、多くの激しい反論が生じた。フィッシャーに先立つドイツ歴史学の伝統の代表と目されるゲルハルト・リッターは「新たな戦争責任論か」というタイトルの反論を発表している。

第一次世界大戦後のヴェルサイユ条約では、敗戦国ドイツに一方的に「戦争責任」が課せられ、その結果、天文学的と称される賠償金の支払いを強制されたが、ワイマール共和国政府は、戦争責任は、敗戦国ドイツにのみにあるのではなく、全ての戦争当事国にもあるとの確信から、その証明のため、大戦前にドイツ帝国が交渉した諸国家との外交を網羅する資料を『ヨーロッパの諸政府の国際政治』（全四十巻、一九二二―二六）と題して出版した。この膨大な国際史料によって、世界大戦の開戦責任を敗戦国ドイツに押しつけることは、戦勝国の一方的な見解とされたのである。一般にドイツ人は、二つの世界大戦へのドイツの関わりを考える時、両者には本質的に異なるものがあると確信していた。すなわち、第二次世界大戦をあえて強行したナチスの時代は、ユダヤ人の虐殺をはじめ、国際法違反、多くの犯罪がなされた特異な時代として、その前後の時代とは明らかに断絶があると信じられた。他方、第一次世界大戦のドイツにあっては、ロシア、フランスそして英国による挑戦に対し、現政権と対立していた社会民主党ですら、国防を目的として開戦に賛成し、全ドイツ国民が一つに団結した誇るべき時代であったとの思い出が残っていた。フィッシャーの見解は、伝統的なドイツ人の見解からすれば、近代ドイツ史全体に泥を塗るような印象を与えたのである。

フィッシャーも当然、反論を試みた。もともと彼の研究は、第一次世界大戦におけるドイツの政策の連続性であった。しかし彼の著『世界強国への道』が一九六一年に公刊されてから燃え上がった「フィッシャー論争」は、ドイツの戦争目的をめぐってというよりは、戦争の原因と勃発とを取り扱った同書の第一、二章に集中していた。そこで彼はまた新たな著作『幻想の戦争』によって、一九一一年から一九一四年に至るドイツの戦前の政策を論じたのである。フィッシャーによれば、第一次世界大戦は、ドイツに強いられた「防衛戦争」ではなく、まさにドイツが行動を起こし、戦争を開始させたものであり、それゆえ、これまでドイツにおいて広く受け入れられていた見解とは違って一九一四年は、ドイツ史にとって断絶を意味していない。戦前のドイツの政策と第一次世界大戦のドイツの戦争目的との間には、明らかに連続性があると見るべきであると言う。

さて、ナチス・ドイツの崩壊後、西ドイツの歴史家たちは、第二次世界大戦について、ヒトラーとドイツの責任を肯定した。また、そうすることによって、第三帝国の時期を、ドイツ史のその他の時代から孤立させ、ナチスを一つの過失として取り扱おうとした。この解釈による限り、第一次と第二次の世界大戦は本質的に異なったものとして捉えられるのである。しかし両大戦の重要な差異にもかかわらず、ヒトラーの世界強国への意志と、第一次世界大戦中のみならず、大戦前のドイツの政策との間には、明白な連続性の要素があるのではないかとの問題は、ドイツ以外の歴史家たちにとっては、自明とさえ思われたのに、ドイツでは、少なくとも一九五〇年代まで、これについて問題を提起したものは存在しなかったのである。

しかしフィッシャーの書物が刊行されると、この問いはもはや避けられぬものとなった。フィッシャーの連続性は、すでに記したように、初めは、第一次世界大戦前から戦争中にかけてのそれであった。けれども彼は、この時期を越えてさらに、第二次世界大戦に至る「連続性のある種の線」を主張するようになった。例えばワイマール共和国期のシュトレーゼマンの場合、彼はたしかに汎ヨーロッパ的な政治家ではあるが、一方ドイツ・ナショナリストの面も存在し、ここに帝政ドイツの覇権的要素の連続が「ある種の線」として認められるとするのである。さらにフィッシャーは、プロイセン・ドイツ的・愛国主義の中に、ダーウィニズム的新理想主義、さらには非合理的思考がますます優勢になり、それと共に、反ユダヤ主義を含む「種族思想」と、ゲルマン人社会において、ドイツ人を「支配民族」と見る一種の使命観が根を下ろしていったことを記しているが、これはナチズムとパラレルなものを感じさせる。また、第一次世界大戦勃発直後（マルヌの戦闘まで）の短期決戦を期待した政策の叙述など、明らかにナチスの外交政策や電撃戦のイメージを想起させるものがある。

歴史における連続性は、フィッシャーによれば、社会経済の領域と外交政策との二つの線があるという。すなわち一九一八年から一九一九年の事件を見た場合、君主制は倒れ、その後に作成された共和国憲法は、すこぶる民主的であったとは言え、その社会構造はあまり変わっていない。軍部は貴族的なままであったし、教会（ことにプロテスタント）は、君主政体主義の主柱の一つであり、官僚制・大学・産業界も、帝政期のそれらとの連続性をはっきり認めることができる。またベートマン＝ホルヴェークからヒトラーまでの外交政策について言えば、英国に中立を維持させ、フランスを小国化し、ロシアの領域を東へ後退させるという方針は一貫しており、さらにビスマルクによって貫徹された一八六四年（対デンマーク）、六六年（対オーストリア）、七一年（対フランス）の短期戦の勝利の事実は、一九一四年、一九三九年の開戦と短期決戦による成功という『幻想の連続性』を生んだのである。

フィッシャーの見解は熾烈な論争の後、彼より若い世代の学者に多くの支持者を見出し、今日、第一次世界大戦のドイツを解釈する上で、ほぼ定説となった観がある。もとより、なお考察の余地や批判も残っている。例えば第一次世界大戦全体を見ていく際、帝政ドイツの「戦争目的」が、この戦争を世界大戦たらしめるため、大きな役割を果たしたことは認められるが、それと共に真っ先にセルビアに対して宣戦布告したオーストリア＝ハンガリーの「戦争目的」、ドイツより先に総動員令を発したロシアのそれ、さらに、すでにドイツとの開戦を予期していたと思われるフランスについても、併せて比較考察する必要があるのではないか？　筆者は、フィッシャー教授が来日してシンポジウムが開かれた時、直接そのことを質問した。教授はその必要をみとめ、今後の研究に俟つと答えている。

以上がフィッシャーの連続性説明であるが、十九世紀後半から二十世紀前半の時代の最大の歴史家の一人とされるフリードリヒ・マイネッケは、ドイツ帝国成立の時代について、師のランケと同様に楽観的であった。すなわち、「我々は、一八七一年の強力にして繁栄しつつあるドイツ帝国の成立に対して、何と誇りを持っていたか」と回想する。だがその後、「しかし第一次世界大戦の、さらにそれに以上に、第二次世界大戦の衝撃的な経過は、後の禍の萌芽が、この帝国の中に潜んでいたのではないかという問いを、もはや黙らせずにはおかない」と反省するのである。またさらに、この時代の過度なナショナリズムが全ヨーロッパに及ぼす危険を、ドイツの哲学者フリードリヒ・パウルゼンが、すでに一九〇二年に警告しているのを想起している。すなわち、

「過度に刺激されたナショナリズムが、ヨーロッパのあらゆる民族にとって、非常に重大な一つの危険になっている。彼らは、国家主義をこえた人間的価値にたいする感受性を失う危険に陥っている。極端に走れば、国家主義は信条主義と同じく、倫理的良心ばかりか論理的良心をさえも破壊する。正と不正、善と悪、真実と虚偽は、その意義を失ってしまう。人々は、他の国民がそれを行う場合には

恥ずべき非人間的行為と呼ぶものを、他の国民にはそれを加えようと、舌の根の乾かぬ内に自国民にすすめるのである」

さらにマイネッケは、第一次世界大戦前の右翼、全ドイツ派と戦中の祖国党とが、ヒトラー出現のための前触れであったと記している。これらの発言は、フィッシャー以前に、そのテーゼがドイツに広く存在していたことを示していよう。

7　オトフリート・ニッポルトの独仏避戦運動

ドイツでは、ヴィルヘルム二世の即位の後、「新航路」と名づけられる時代の到来が意識された。それは、ヨーロッパの「強国」から、さらに「覇権国家」への期待であった。そのためには、他の諸強国を力で抑えるため、さらなる戦力増強が必然とされる。国際平和は二の次の問題であった。しかし、この現況を痛烈に批判し、反戦平和の道を探る者も現れた。その一人がオトフリート・ニッポルトであった。

彼は一八六四年、ドイツのヴィースバーデンに生まれた。父のフリードリヒは教会史家で、一八七〇年スイスのベルン大学神学部教授に任ぜられると、一家はスイスに移り、オトフリートは少青年時代をスイスで過ごした。父フリードリヒは、一八八四年ドイツのイエーナ大学教授に転任したが、オトフリートは、ベルン、ハレ、チュービンゲン、イエーナの各大学で法律学を専攻し、一八九四年、主専攻の国際法の論文によって博士学位を得た。同年、外務省に入ったが、間もなく法曹界に転じ、ワイマールで判事になった。ところが、ドイツでの生活に違和感があったのか、一八八九年（明治二十二年）、東京の独逸学協会学校専修科（現在の獨協大学）に招かれて、法律ことに国際法を講じた。しかし彼が日本の学生に、現行国際法の正当性を悟らせることは困難であったと言う。当時の日本は、条約改正という緊急の課題に取り組んでいた。ニッポルトは、国際法は、あらゆる法と同じく正義の理念に奉仕しなければならないと信じていた。その正義は、国家の下での法と同じく、諸国家共同体の下でも実現されなければならない。しかし、現実はそうではなかった。強大国と弱小国との間の条約は、後者に不利な不平等条約として締結されていた。そこで彼は、「現行の国際法、特に条約法は、幾重にも全く誤った基盤の上に築かれている」と確信した。

ニッポルトは、一八九二年日本を離れてスイスに移り、始めはトゥーン、次にベルンで弁護士を開業、一九〇五年にはベルン郊外のウンターシュテックホルツでスイスの市民権を得た。同年ベルン大学の私講師となり、一九一四年まで同大学で初めて国際法を講じている。

彼は一九〇九年ドイツを旅行し、旧友の大学教授やその他の有識者と現況について語り合った。その時の印象を次のように記している。

「私は一八八〇年代にドイツで学び、ドイツ人とスイス人のメンタリティーの違いを知った。また一八八六年から八八年までベルリンで外務省の仕事をしていた時のドイツ人は一八八〇年代のドイツ人と同じであった。しかし一九〇九年、三度目に見るドイツ人は、全く違っていた。その変わり方は、日常生活にも現れており、戦争の噂、戦争の恐れ、戦争の賛美が交錯し、それは年と共に高まっていくようであった。戦争に向けての扇動も、一八八〇年代の末からドイツ人に影響を及ぼした。人々は集まると、すぐ戦争を話題にした。『戦争になる』とは多くのドイツ人にとって合意の上のことのように見えた。イギリス人による包囲政策、フランスの復讐戦争、ロシアのパンスラヴィズムは、もはや議論の余地のない現実であった」

ニッポルトは一九一三年ベルリンで『ドイツのショーヴィニズム』を出版した。一九二一年にはフランス語版も作られている。彼によれば、ショーヴィニズムと言えば、フランスの排外的ナショナリズムだと思われるが、実は他の国々でも見られる国際的な病弊である。ドイツでは、全ドイツ派、汎ゲルマニストの思想がそれで、彼らは、外国に敵対的感情を駆り立て、戦争を賛美し、その推進力となっている、と言う。

ひたすら戦争への道を進むかに見えたドイツでも、それに対抗するかのように、平和運動も生じていた。ドイツ平和協会の設立は、一八八九年オーストリアの男爵夫人ベルタ・フォン・ズットナーの反戦小説『武器を捨てよ』が、予想外のベストセラーになったことを契機としている。彼女は一八九一年秋、二千人を擁するオーストリア平和協会を設立し、一九一四年に没するまで、国際平和運動家として活躍した（一九〇五年ノーベル賞受賞）。彼女の成功は、同じくオーストリアに生まれ、ベルリンでジャーナリストとして名をなし、出版社を経営していたアルフレート＝ヘルマン・フリートを同様の運動へと駆り立てた。彼は、自由主義の国会議員やジャーナリストに訴えて、一八九二年十二月二十一日、ドイツ平和協会の創立大会にまでこぎつけた。その六年後、ロシアのニコライ二世が、翌年ハーグでの平和会議を全世界に呼びかけた時、ドイツ平和協会は、この会議が軍縮と国際仲裁裁判を議題とすることを見て、ドイツ政府に積極的な参加を訴えた。このアピールは市民社会の間にかなりの影響を与えたが、ドイツ政府はハーグに公式の代表を派遣したものの、平和運動の理想には程遠い行動に終始し、この第一回平和会議は大きな成果を上げることなく終わった。

ドイツの平和運動は、二十世紀に入るとナショナリズムの勢力に圧倒された。だがフリートはこれに幻滅することなく、今までの平和運動とは別のアカデミックな性格の団体を作ろうと考えた。そしてこの計画の中心人物に、オトフリート・ニッポルトを見出したのである。ニッポルトは、この要請に応えて、一九〇九年二月、ドイツへの旅行を試みた。その目的は、同国の指導的な学者その他の要人に、この新しい計画を説くことであった。彼は、前からの知人である大学教授、その他の知識人と会見し、その成果に満足してスイスに帰った。

同年九月、ニッポルトの協力を得たフリートは、マールブルク大学教授のヴァルター・シュッキングを同志に引き入れた。彼はのちに、ワイマール共和国で民主党員として登場する人物である。彼らは大学の同僚や知識人たちのリクルートに努めた。今までの平和団体とは違う視野の広い団体の設立が、その目標であった。

この新しい組織の発議者は、ニッポルト、シュッキングのほか、ハイデルベルク大学のゲオルク・イエリネック、ビスマルクの崇拝者として知られた進歩党の政治家で、のちにベルリン大学教授になったフランツ・フォン・リスト、ヴュルツブルク大学のロバート・ピロティ、チュービンゲン大学のエマニュエル・ウルマンの六人で、一九一〇年五月、「国際理解のための連盟」の設立宣言を公表した。その要旨は次のようなものであった。

「かつてドイツ民族の課題と目標は、国民国家の建設であった。しかし今や経済・技術の進歩によって、新しい国際主義の時代が到来した。だが国際的な政治組織は作られていない。文化国家といえども武器をもって互いに対立しているのである。列強の軍備増強が今のテンポで進むならば、それは廃墟に向かっての競争を意味しよう。今こそナショナリズムとインターナショナリズムとの一致を考えるべきである」

この設立宣言に発起人として署名した十二名の中には、マックス・ウェーバーのほか、今日、日本でも著名な人物、例えばエルンスト・トレルチュ（ベルリン大学）、カール・ランプレヒト（ライプツィヒ大学）、アドルフ・フォン・ハルナック（ベルリン大学）、パウル・ナトルプ（マールブルク大学）、エルンスト・ヘッケル（動物学者）の名が見出される。

一九一一年三月、「国際理解のための連盟」の規約四カ条が作成された。その要約は次のようなものである。

第一条　目的、諸国民間の友好関係を保持する意義と、そのために必要な国際法についての理解を広め、国家間の紛争を回避して、相互に自由な政治への基盤を造る。

第二条　目的達成の手段は、言論・出版活動、ことに「連盟」が行う大会や講演会、宣伝である。また諸民族とその特性の相互尊重を青少年に教育する。

第三条　その活動はドイツに限るが、現在外国に存在する同様な団体と合同して、国際的な連盟となるよう努力する。

第四条　ドイツ国内のすべての政党及び国内政治に対して、完全中立を維持する。

同年六月十一日、「連盟」の四十一名のメンバーが、フランクフルト・アム・マインに集まり、創立大会が開かれた。ウルマンが議長となり、ニッポルトとシュッキングは副議長に、財務はドイツ銀行総裁のヘルマン・マイヤーが担当した。この組織の本部は、フランクフルト・アム・マインに、支部はシュトラスブルクとミュンヘンに置かれた。創立大会はかなりの盛り上がりを見せ、他日を期して散会した。

その後、この「連盟」への参加を呼び掛ける運動が展開された。折からのモロッコ危機による独仏関係の緊張の中で、この運動は一時頓挫したが、十一月の独仏協定の後、この組織への入会者は増えていった。その数は一九一二年に二百五十、一三年に三百五十で、大部分が大学関係者その他の教養市民層であった。しかし彼らが、政府その他の公的機関の政策決定に影響することはほとんどなく、また国際秩序維持に関心がある経済界にも働き掛けたが、成功しなかった。「連盟」は、その後まもなく、フランスのエストゥールネル＝ド＝コンスタン（一九〇九年ノーベル平和賞）によってパリに創設された国際機関の「国際調停」に加盟した。これによって「連盟」は国際的な組織のドイツ支部となったのである。米国の支部は、製鉄王と呼ばれたカーネギーらによる「国際平和財団」であったが、ドイツの「連盟」は、ここから補助金を得て、財政上の憂いがなくなった。しかしこの助成金は、右翼から猛烈な攻撃を受けることになった。

一九一二年十月五日から三日間、「連盟」の第一回大会がハイデルベルクで開催された。各国から約二百五十人が集まった。この大会で光彩を放ったのは、フランスのエストゥールネルが、六日に行った演説であった。彼はそこで、以下のように述べている。

今日の仏独対立は、戦争によっては解決できず、そのような戦争は何度も繰り返されるであろう。この解決のためには、仏独両国民がかつて犯した悪を遺憾に思うと共に、将来の解決が憎悪によってではなく、相互理解と協力によってなされることを信ずべきである。ヨーロッパの各国民は、それぞれ単独で生きていくに十分ではない。仏独両国民は、優れた科学技術の進歩によって全ヨーロッパに大きな貢献をなしうるのである。この偉大な企ては、平和のうちに、法と正義の尊重のもとでのみ実現される。我々の努力は、今差し迫っていると思われる戦争の防止を約束するであろう。我々両国民は「われらの望むことは、これだ」と叫ぼう。ドイツ人とフランス人が、人類のために一つになることに成功した時、あらゆる問題は、これと同じ精神の中で解決され、人類は我々に従うであろう。

第二回大会は一九一三年十月、ニュルンベルクで開催された。この時もフランスからエストゥールネルとリュイサンスの参加があった。エストゥールネルは、国際紛争の解決が手遅れにならぬよう警告し、今、仏独両国民の相互理解こそヨーロッパ平和の道であると説き、ドイツの代表として壇上に登ったコンラート・ハウスマンと握手して満場の拍手を浴びた。しかし「連盟」の大会はこれが最後となった。「連盟」本部の常任理事のうち、ニッポルトは事実上の独裁者で、運営、財政を一手に握ると共に、公式会議での発言内容にまで介入した。このような彼の専横な行動は、仕事にかける情熱のあまりのことであったが、「連盟」のほかの委員たちと対立するようになった。ことに、彼が生まれはプロイセン・ドイツでありながら、嫌ってスイスに国籍を移したことも、「連盟」のドイツ人の仲間にとっては不愉快なものであったであろう。そしてついにニッポルトの存在が「連盟」の財政上の負担を越えるものとなった時、この対立は爆発した。委員会において、彼は批判され、ついに世界大戦勃発直前に退任を強いられたのである。

ニッポルトが「連盟」の常任理事を辞任したのはいつなのか明らかではない。だがその後も、一九一四年中、彼の避戦への努力は目覚ましいものがあった。彼は、二月カーネギー財団に左のような手紙を書いた。

「多くのドイツ人は軍国主義に対して批判できずにいる。市民の中には例外の人もいないことはないが、役には立たない。政府も軍国主義に対しては弱く、軍部が戦争を招こうとしているのは疑いない。政府がこれに対抗するほど強くない限り、戦争到来の可能性は高い。私の唯一の希望は皇帝だが、彼も文官より軍人に取り巻かれているから、状況はすこぶる重大である。」

また同年七月十八日、彼は、ドイツの『三月』誌に「ドイツは戦争を渇望」と題する論文を載せた。これが彼のドイツで行った避戦の最後の試みであった。彼は結論として、

「問題はドイツ政府にとって、平和の攪乱者が手に負えぬ存在だということである。今、どうしても必要なのは、政治化した将軍を抑えることであるが、事態は予想以上に悪く、この危険は真剣に指摘しなければならない」

と記した。

一九一四年七月二十九日、ニッポルトはドイツを去りスイスに帰った。フランクフルト新聞の編集局にあって「連盟」に協力したスイス人テオドア・クルティも帰国し、二人は複雑な気持ちで握手したという。「世界戦争の開幕に反対した我々には、ドイツにはもはや住む所がない」のであった。

翌月、「第一次世界大戦」が勃発すると、ニッポルトはすぐ「ヨーロッパ戦争の原因」をスイスの新聞に掲載し始めた。しかしそこには、ドイツへの痛烈な批判が見られたので、スイス駐在のドイツ大使館から、掲載中止の要求があり、そのためこの記事は三回で終わった。しかしニッポルトは、その後も秘かに執筆し続けた。彼の死後それらは、甥のベルン大学コールシュミット教授の私蔵するところとなり、さらに同教授が亡くなると、ベルンのブルガー図書館に「ニッポルト遺稿」として納められた。

オトフリート・ニッポルトの名は、第一次世界大戦前や戦後の国際連盟の機能が働いていた時代には有名であった。ことに彼は一九二〇年、ドイツ領から分離して、国際連盟の信託統治領となったザールラントの最高裁判所判事に委嘱された。これは、ドイツの右翼、ことにナチスの軽蔑や憎悪の的になった。ヒトラーが政権を握ったのは一九三三年一月三十日である。ニッポルトは一九三四年末まで在任した。この地が住民投票によってドイツに再編入されたのは、一九三五年一月である。ニッポルトはスイスに戻り、一九三八年七月六日ベルンに没した。その後、彼は全く忘れ去られた。そして、第一次世界大戦からほぼ百年たった今、彼が開戦直後に記した「大戦原因論」が、すでに一世紀後の結論を先取りしているのは驚嘆に値しよう。

筆者は、一九六二年から三年間、ベルン大学に留学したが、その時に知遇を得たコールシュミット教授から、伯父ニッポルトの業績を詳しく聞くことができた。そして一九八八年、ベルンの図書館を訪ねて、ニッポルトの「ヨーロッパ戦争の原因」を読み、一九九五年、『ドイツ人とスイス人の戦争と平和』（南窓社）の著書の中で、彼の第一次世界大戦観を論じた。

その後、筑波大学のハラルド・クラインシュミット教授も、これに頗る興味を持ち、翌年同図書館に行き、その戦争原因論を精読し、二〇〇五年、編者として、ニッポルト著『ヨーロッパ戦争の原因、日本、第一次世界大戦の開始と国際法による平和維持』と題して出版した。

その内容については、次章の最終節⑩に、世界大戦原因論の一つとして記す。

8　第一次世界大戦の勃発

①　サラエボ事件の真相

一九一四年六月二十八日、オーストリア＝ハンガリー帝国に君臨するハプスブルク家の帝位継承者フランツ・フェルディナンド大公は、ゾフィー妃と共に、ボスニアに駐留する二個軍団の観閲をすませた後、予定通りサラエボ市を公式訪問した。

ボスニアはヘルツェゴヴィナと共に、スラヴ系の民族が住み、オスマントルコ帝国の宗主権の下にあったが、一九〇八年、強引にオーストリア＝ハンガリー帝国に併合された地である。また六月二十八日は、中世末期の一三八九年の同日、アムゼルフェルトの戦いで、セルビアが独立を失った屈辱の日にあたる。しかしこの日、二年前からのバルカン戦争で、ヨーロッパにあるトルコ領を奪回した勝利にセルビア人は喜びに沸き立っていた。この地のセルビア系の青年たちには、バルカン戦争に義勇兵として参加した者も多かった。セルビア人のナショナリズムが高揚しているこの日に、大公の訪問は、身の安全の上で、それを危惧する声は各所から聞こえてきた。しかし大公は、そのような懸念をものともせず、同地に君臨するがごとく赴いたのである。

大公夫妻の車が、市庁舎に向かう途中、爆弾が投じられた。夫妻は無事だったが、侍従武官が負傷した。車はそのまま市庁舎に入り、大公歓迎の会は始まったが、その雰囲気は全く白けたままに終わった。帰途、大公は負傷した将校を見舞うため、往路と異なって、直進した道を右折しようとして、車が一時停止した時、突然、テロ犯人が乗り込んできて、ピストルで大公夫妻を即死させたのである。

犯人は、ガブリロ・プリンツィプという、十九歳のベオグラード大学の学生であった。セルビア人ではあるが、当時この地はオーストリアに併合されていたから、犯人と犠牲になった大公とは同国籍ということになる。プリンツィプをはじめ、暗殺テロを計画したグループは、サラエボにあった「ボスニア青年」と称する革命派に属していた。この団体は、もともと同地方での農民一揆の仲間であったが、その後、民族独立のためには暗殺をもいとわない過激な集団と化した。当時テロ行為は、バルカン半島では、一九〇三年のセルビア王アレクサンダー一世の暗殺など、数多く生じた政治的な表現であった。彼らは、ボスニアのオーストリア併合を機に、皇帝フランツ・ヨーゼフ一世やその閣僚、ことにボスニア自治領担当の財務相ビリンスキイやボスニア総督ポティオレクに対して激しい憎悪を抱いた。ただフランツ・フェルディナンド大公には、個人的には憎しみはなかったものの、彼のサラエボ訪問を機に、オーストリアの植民地支配に抗議するための暗殺の準備を始めたのである。

「ボスニア青年」は、セルビア王国の首都ベオグラードにあった、「統一か死か」と称し、敵対グループによって、「黒い手」と呼ばれる秘密組織と連絡をとっていた。彼らは、「黒い手」の指導者で、セルビア陸軍情報部長であったアピス大佐に、フランツ・フェルディナンド大公暗殺の計画を告げると共に、この成功が国際政局にどんな影響をもたらすかを尋ねている。

アピスは冷静な参謀本部将校で、自国の戦力が一九一二年のバルカン戦争で弱体化したのを知って、オーストリア＝ハンガリー帝国との交戦は全く考えられなかった。だがアピスは、それでもなお、この暗殺テロを肯定した。すなわち、それが成功しても国際的にはセルビアに不利にならないし、オーストリア＝ハンガリーとの戦争は生じないばかりか、かえって開戦を妨げるであろうと答えた。アピス大佐が、暗殺に賛成した理由は、大公が、ゲルマン人とハンガリー人によるハプスブルク二重帝国から、スラブ人をも組み入れる三元主義による好スラヴ的な政策を主張していたことにあった。大公は、一九一三年十月、ドイツ皇帝ヴィルヘルム二世とコノピシュトにおいて会見し、さらに皇帝は、オーストリア＝ハンガリーの政治家、将軍とも会談を行っていた。これを知ったアピス大佐は、大公の政策に皇帝が理解を示したものと信じた。大公の三元主義が推進されれば、セルビアを主力とする南スラヴのナショナリズムの力は殺がれてしまう。そこで大公の暗殺によって、ウィーンの改革派の計画は延期されるであろうし、またそれによって、セルビアと同盟国のロシアの軍備を充実させる時間を稼ごうとしたのである。

「ボスニア青年」の仲間は、大公のサラエボ訪問を機に、大公とボスニア総督ポティオレクの暗殺をも計画していた。だが彼らは、このテロのための武器を持っていなかったので、ベオグラードにある仲間を通じて、アピス大佐の右腕といわれたタンコシッチ少佐と連絡をつけた。

この少佐は、プリンツィップとその仲間に、ピストル四挺と六個の爆弾を与え、セルビアとボスニアとの国境にある「運河」と称する通路を越えてサラエボに運ばせた。しかしこの秘密は漏れてしまい、セルビア内務省を通じて、パシッチ首相の耳に入った。首相は陸軍参謀本部と連絡をとり、アピス大佐に問い合わせている。

アピスは、かの武器は、オーストリア＝ハンガリー領内にある彼の部下の護身のために運ばせたと回答した。だがパシッチはこれに満足せず、さらに陸軍法務官に調査を命じると共に、陸相もボスニア国境警備隊に命じて、人間と武器の、ボスニアからセルビアへの移動を一切禁じ、その警戒に当らせた。この事情の下、アピスは、プリンツィプとその仲間の暗殺計画を中止させようと決意した。しかし彼らはこれに頑強に反対し、断固、実行に移ったのである。

サラエボ事件の後、「青年ボスニア」に武器を手配したタンコシッチ少佐は逮捕された。その際、なぜ暗殺がなされたのかとの訊問に、「パシッチに逆らうため」と答えたと言う。

実は彼の上司アピス大佐は、パシッチ首相と対立し、事件に先立つ六月十日にクーデターを計画していたが、この時は配下の者たちに反対され、不発に終わった。その後も、アピスとパシッチとの紛争は終わらず、ついに一九一七年六月二十六日、アピスは、摂政アレクサンダー暗殺の陰謀の廉で処刑されている。

② オーストリア＝ハンガリー帝国政府の強硬策

サラエボ事件の後、八月初旬に、三国同盟と三国協商に属するヨーロッパの強国がすべて「ヨーロッパ大戦」に突入するまでの一カ月間は「七月危機」と呼ばれている。これらの大国は、いずれも「大戦」に発展することを望んでいなかったという。にもかかわらず、「ヨーロッパ大戦」にまで拡大したのはなぜなのか。それともいずれかの国が「大戦」への拡大を賭けて決戦に挑んだのか。そのためには、強国それぞれの事情を考える必要があろう。

まず「サラエボ事件」の当事国オーストリア＝ハンガリー帝国である。この時、ハプスブルク帝国と称されたオーストリア＝ハンガリーは、すでに苔むした衰運に向かう国家であった。一八五九年のイタリア統一戦争に敗れ、一八六六年には、ドイツ統一をめぐってプロイセンに敗れるという悲運を味わっていた。多くの民族によって構成されるハプスブルク帝国は、ナショナリズムの挑戦によって同国の存在意義が失われたように見えた。かのニッポルトは、「この国家が崩壊するとしても、それを防ごうとして、全ヨーロッパが戦争に巻き込まれるよりましである。」と述べている。また老皇帝フランツ・ヨーゼフの姿も、身内の不幸が重なって、国家の衰運を象徴しているかのようであった。事実、帝は自らが君臨する帝国の未来を暗く描いていた、という。

右のような悲観主義に対して、積極的にハプスブルク帝国の改革を企図する若い貴族たちも存在した。帝位継承者フランツ・フェルディナンド大公は、前節で示したように、ゲルマン民族とマジャール民族との二元主義によるオーストリア＝ハンガリー二重帝国から、さらにスラヴ系の民族にも自治を与えて三元主義による帝国を構想していた。しかし大公が暗殺された後、それは大公と意見を異にする一連の強硬派に引き継がれた。その代表は外相ベルヒトルトや参謀総長コンラートであった。彼らは、国家の衰運を空しく待つのではなく、全国民が一致してセルビアとの対決に向かい、それによってハプスブルク家を中心に、帝国の団結維持を計る行動を求めたのである。サラエボ事件後の六月三十日、老皇帝は初めてベルヒルト外相と接見した。外相は「もし我々が弱みを見せたら、西方及び東方の隣国は、我々の無力につけ込み、破壊工作を遂行するでしょう」と述べている。

だが、それに先立って、フランツ・フェルディナンド大公の暗殺が、セルビア政府に直接責任があるか否かを、ウィーンの政府は秘かに調査にあたっている。外務省からの密偵として、七月十日、サラエボに赴いたフリードリヒ・フォン・ヴィースナーは、もしこの暗殺事件に関して、セルビア政府に、何らかの責任があると判れば、直ちに報告するよう命ぜられていた。ヴィースナーは、十三日、電報で「セルビア政府に、暗殺を指令するとか、計画立案というような共犯関係があるという証拠はない」と報告している。それでも、ウィーンの政府は、強硬派の見解を取るのである。

ところで、一九一四年七月という時期は、ヨーロッパ全体に、一触即発の戦争という危機感が存在していたであろうか。人々はそれを感じとって恐れていたであろうか。たしかに、いつかは戦争になるとの予感があったものの、この時期、いずれの外交官も、ヨーロッパの政局は比較的安定していると見ていた。それゆえ、多くの王侯貴族や政府の要人たちは、夏の暑さを避けて、保養地に赴いたのである。

③　ドイツ帝国政府の「白紙委任」

サラエボ事件の報告は、ドイツ帝国では、同情と怒りの波を巻き起こした。ヴィルヘルム二世は、六月三十日、ウィーン駐在のドイツ大使チルスキーから宿命の報告を受け取った。そこには、「ここでは、多くの人々がセルビアとは根本的に清算しなければならぬという希望を抱いています。」と記してあった。その欄外に皇帝は、「今か、それ以外にない」と記入している。ウィーン政府は、盟友ドイツの態度に疑いを抱かなかった。オーストリア外相ベルヒトルトは、腹心の官房長ホヨスをベルリンに派遣した。彼は、皇帝フランツ・ヨーゼフ一世の親書と外相ベルヒトルトの覚書とを携行していた。その目的は、ドイツのオーストリアへの全面的な支援を確認するためであった。

この文書がベルリンにもたらされると、ドイツ皇帝は、七月五日、ベルリン駐在のオーストリア大使セジェーニを朝食に招いた。食後、彼はこの問題に関して、オーストリア＝ハンガリーは、ドイツの全面的支援を当てにしてよいと確約した。その後、皇帝が宰相ベートマン・ホルヴェークとも合意したことは、ここで何をなすべきかは、オーストリア＝ハンガリー政府が自ら決定すべきであり、ドイツは常に盟友としてオーストリアの側に立つとの二点であった。この決定は、今日、ドイツがオーストリア＝ハンガリーに与えた「白紙委任」とされている。これがオーストリアを勇気づけたことは明らかである。ニッポルトは、「白紙委任」によって、オーストリアが冒険政策を行い、またドイツが全存在を賭けてそれを支持し、全ヨーロッパがその犠牲を引き受けねばならなくなった、と批判している。だがドイツの皇帝も宰相も、かつて生じた戦争の危機と同様に、それは避けられ、二国間の紛争に限られると予想していた。そこで翌日には、ヴィルヘルム二世は予定通り、北海旅行のため、キールに向けて出発したのである。

④ オーストリアの対セルビア宣戦布告

オーストリア政府は、ハンガリーとの連合閣議で、ロシアとの対決を賭しても、セルビアを徹底的にたたくとの決定を見た。ハンガリー首相ティサは、ヨーロッパ大戦に拡大する危険を感じ取って慎重論を唱えたが、オーストリア外相ベルヒトルトの強硬論に押し切られた。老皇帝も苦痛に満ちた諦めの様子で、「最後の手段」としての戦争を承認した。これを聞いたドイツ皇帝も、セルビアとの紛争が局地化する希望と共に、もしそれが失敗して、ロシアがオーストリアを攻撃したら、同盟の義務によって同国を援助すると応じている。

十九日、武力解決を前提とする最後通牒を、セルビア政府に送ることが決定された。その強硬な最後通牒は二十三日に届けられた。それは十カ条からなり、四十八時間の期限付きで、オーストリア＝ハンガリー領内での、あらゆるセルビア民族主義的行動を行わないことのほか、セルビア領内における暗殺犯人に関する司法的調査にオーストリア官憲の参加という条件が含まれていた。しかもオーストリア側としては、セルビアの拒否が予期されていた。

この日の三日前から、大統領ポアンカレほか、フランス政府首脳は、ロシアの首都サンクトペテルブルクを訪問していた。親善訪問の目的と共に、仏露軍事同盟の再確認のためでもあった。大統領は、二十一日、同国駐在のオーストリア大使に、「セルビアはロシアの友邦であり、ロシアはフランスを同盟国としている」と警告していた。しかし二十三日、フランス使節がロシアを離れた直後に、かの最後通牒がセルビアに届いた。セルビア政府がこれを拒否すると、二十八日、オーストリアはセルビアに宣戦布告し、ここに第一次世界大戦が開始されたのである。

⑤ デンマークによる和平工作

ヨーロッパの強国が、そろって武器を取って戦った時、最も恐れるのは強国間に挟まれた小国群であろう。永世中立国スイスは、この世界大戦中の四年間、多くの男子国民が動員され、国境の警備にあたった。列強もこの国の領土不可侵を尊重した。早くから独仏の対立の結果、開戦を懸念していたオランダは、スヘルデ川などドイツとの国境警備を強化していた。そのため、ドイツ参謀本部はオランダからベルギー経由フランスに進攻する最初の計画を変更することになったという。これによって一九一四年には、オランダに戦禍が及ぶことなく、中立も守られたのである。開戦時に、ドイツ軍の攻撃侵入の犠牲になったのは、ベルギーであった。永世中立が国際的に認められていたのに、ドイツの国益優先の政策によって、この国が戦場となったのは、悲惨な現実であったと言えよう。

一八六四年のプロイセン、オーストリアとの戦争に敗れ、シュレスヴィヒ・ホルシュタインを割譲させられたデンマークも、大戦勃発と共に、ひたすら平和と中立を守るために腐心した。しかし世界大戦が起こった時、この諸大国間の紛争にあたって、小国デンマークが和平に向けて仲介役を引き受けるのは、想定外のことであった。この役目に適任の国としたら、日露戦争の場合と同様、アメリカ合衆国であろう。事実、大統領ウィルソンは、大戦勃発直後、和平仲介の意向を示している。

デンマークにおいて、平和と中立を守る政策の実行者は、国王クリスチャン十世の信望厚い顧問役のハンス・ニールス・アンデルセン（一八五二―一九三七）であった。この人物は実業家で、一八八四年、今日のタイ国でアンデルセン商会を設立、一八九七年にはそれを発展させて東アジア商会とし、海運、貿易、産業を大々的に成功させ、一九一四年当時、この会社は各国に一万六千人の社員を置いていた。一九一一年には、本店をコペンハーゲンからロンドンに移し、ドイツにも支店を置き、ロシア、英国との取引も盛んであった。アンデルセンは、先々代の国王クリスチャン九世、先代のフリードリヒ八世の時代から、デンマーク政治に影響を及ぼし、政治に未経験な現国王の信頼し得る顧問となっていた。

アンデルセンは、大戦勃発直後の八月十六日付で、「戦争の考え得る結果についての政治的考察」と題する手記を残している。それによると、もし同盟国が勝ったら、周りの小国スイス、ベルギー、オランダ、デンマークは、いろいろな形でドイツの従属国となる。ドイツの覇権の下、デンマークは自由を失うであろう。反対に協商国が勝ったら、ドイツは縮小ないし分解する。シュレスヴィヒ・ホルシュタインはデンマークに返還される。英国は世界強国になり、小国の中立は保証されよう。デンマークは繁栄の方向に向かう、と記されていた。

アンデルセンは商売人として、その利益からヨーロッパの平和を考えていた。ことにドイツ及び英国との健全な取引を望み、一九一四年秋、独英関係の平和的調停を試みたのも、そのためであった。もし両国が全面的対決に至ったら、英国による経済封鎖、ドイツによる潜水艦作戦によって、デンマーク経済は致命的となるからである。だが、すでに交戦状態にあるドイツへの働き掛けは、アンデルセン一人では、もはや不可能であり、国王や外相スカヴェニウスとの協力が必要であった。

一九一四年八月二十六日、外相との会談によって、アンデルセン使節の活動が開始される。英国は、ドイツとの友好関係を保とうとするデンマークに不満であったので、アンデルセンは、二十八日、英国外相エドワード・グレイ宛に書簡を送った後、国王、外相から意見を徴して、まずロンドンとの直接交渉を先に行うことになった。しかしドイツの立場を考えた上、彼はデンマークの公的使節でなく、あくまで私的な身分でロンドンに赴いた。出発は九月十一日、五日後に到着し二十一日まで滞在した。だがロンドンでは、アンデルセンは公的使節として待遇された。彼は、クリスチャン十世の英国王宛の書簡を携えており、外相グレイ、商工相ランシマンとも会うことができた。英国政府はデンマークの中立を尊重すると明言した。このようにアンデルセンの英国訪問は、自国の安全と商業政策が第一の目的であったが、さらに彼は、その使命を平和問題に広げることにした。

デンマーク外相スカヴェニウスも、和平への方策に関心を抱いていたが、その契機は米国から生じた。一九一四年八月五日、大統領ウィルソンは平和アピールを宣言したが、八月末、ワシントンに着任したドイツ大使ハインリヒ・フォン・ベルンシュトルフは、ドイツ宰相ベートマン・ホルヴェークの訓令を受けて、ドイツは、もしほかの国々が望むなら、早期に和解の平和の用意があると述べた。米国国務長官ブリアンも、これを真剣に受け止め、ドイツ大使の発言から、さらに和平への方策を探ろうとした。この事実は、デンマーク外相の知るところとなった。しかし、米国による和平仲介は失敗した。これは、ドイツも協商国側も、和平への努力を公然とすることは、自国の弱みをさらけ出すことになるからと思われたからである。それでもデンマーク外相は、戦争が戦場で決着するとは考えず、外交的解決の道が絶対必要と信じていた。つまり、戦争当事国内で、和解の試みが生じた時、仲介の準備はしておくべきとしたのであった。

スカヴェニウスは、早くから三国同盟、三国協商という対立は解体して、独英の接近、協調を期待していた。これはデンマークの安全のため、中立保持のためであった。彼は、敵対する両列強の和解に向けての仲介の役割は米国が適任であるとみた。だが和平会議の開催都市としては、米国の都市よりも、ヨーロッパの都市、ことにコペンハーゲンかハーグがふさわしいと思った。彼は一九一四年十月半ばになっても、和平のチャンスはあると楽観していた。それは、アンデルセンがロンドンからもたらした情報にもとづいていた。すなわち英外相グレイが、和平のための国際会議をコペンハーゲンで開く希望を述べていたからである。

そこでアンデルセンは再度ロンドンを訪れ、同国の情報を探ろうとした。彼は十月二十八日ロンドンに到着し、十一月五日、首相アスキス、商相ランシマンと会い、さらに八日の帰国まで、外相グレイを交えた会談を行った。その内容は、デンマークとの貿易問題であった。英国はデンマーク船の航行を守ると約束したが、ドイツに対する経済封鎖を廃止するわけにはいかぬと明言した。アンデルセンは、グレイの私邸で、初めてデンマークによる仲介提案を披露した。そしてデンマーク王が、中立国として和平の仲介役として適任であると主張した。グレイのこれに対する反応は不明である。だが彼は英独が戦火を交えたのは痛ましいことであり、英国民はドイツ国民に敵意を抱いていない。敵対する相手は、「ドイツ軍国主義の勢力」のみであるとした。さらにグレイは、戦前のドイツには、平和派と好戦派とが存在し、宰相ベートマン・ホルヴェークや外相ヤーゴは平和派であった。戦争となった現在、軍国主義の連中は弾劾されるべきであるとし、今、アンデルセンがドイツに和平の探りを入れることには反対した。

アンデルセンは、英国訪問の印象として、同国指導部は断固としてドイツとの戦争を続行し、今直ちに和解の可能性はないと見た。また英国の世論も対独戦を支持していた。しかも開戦後一カ月たった九月五日、三国協商国はロンドン協定を結び、これによって三国同盟国との単独講和はできなくなったのである。

しかしなお、デンマークは和解の平和にむけての仲介計画を捨てなかった。アンデルセンは、ベルリンに赴いて探りを入れるべきと信じ、国王、外相からの同意を得て、ドイツのアルバート・バーリンと連絡をとり、十一月二十日、ベルリンで会うことになった。アンデルセンの二回にわたるロンドン訪問は、第一にデンマークの安全と通商問題であったが、今や彼は第二の平和を目的として、同じ商売仲間の「ハンブルク・アメリカ郵船会社」の社長バーリンを選んだのは、全く個人的かつ秘密交渉のためであった。アンデルセンは、十一月十八日ベルリン出発前に、デンマーク駐在ドイツ公使ブロックドルフ・ランツァウに会い、彼がロンドンで得た印象について語った。すなわち英国での気分は「沈鬱ではないが真剣」なもので、英外相グレイは、戦争を深く憂慮している。今なお彼はドイツについて「大きく、かつ正当な評価」をしている。グレイによれば、英国民は戦争を欲していない。英独ともに誤りを犯したのである、と。だが外相グレイの影響力は、好戦的なチャーチルのような人々を抑えるに足りない。アンデルセンは言う。英国でもドイツでも、戦争を欲する軍国党が、この両国を分裂させたのである。この好戦的な勢力は両国で追放すべきであり、英独間の親密な関係こそ、世界平和に貢献すべきものであろう。グレイはこの見解を十分理解してはいる。しかし英国の閣僚たちは、それを知ろうとしない、と。

ブロックドルフ・ランツァウは、アンデルセンの報告を興味深く聞いていたが、やはりこれに反対した。すなわち、外相グレイの政策は、最近では彼の「美しい言葉」に矛盾している。彼は、英国とドイツとの同盟を望んでいたとはいえ、それはドイツが弱体化して後のことであろう、と。アンデルセンは、これに対して述べる。英国には、表向きの方向とは異なった変化がうかがえる。最近の経験によれば、ドイツが世界強国として、大英帝国と並ぶ地位を要求する権利があるとしている、と。

ドイツ公使ブロックドルフ・ランツァウは、アンデルセンとの会話を筆記して、十一月十九日に電報で本国外務省に通知した。その際、アンデルセンが自らベルリンに赴くことは伝えられなかった。アンデルセンはブロックドルフ・ランツァウにも、それを秘密にしていたのである。ドイツ外務省は、ブロックドルフ・ランツァウからの報告で、デンマークが行う和平工作の事実を知ったが、アルバート・バーリンとアンデルセンとの会見は知らなかった。バーリンも外務省にそれを伝えなかった。アンデルセンは、ベルリン訪問を通常の商取引のためとしていたのである。

アンデルセンは、十一月二十六日ベルリンに到着した。バーリンとの会談は、通常の商取引として始まった。まず両国間の貿易の問題であったが、バーリンはその時、コペンハーゲン港は、ドイツ貿易にとって重要な存在であったが、今や英国の封鎖で困難になった。将来は、ノルウェーの港に移すことになろう、と述べた。アンデルセンは、コペンハーゲンを交戦国の一方の補給基地にはしたくない、将来、講和交渉の場にしたいからである、と答える。そして、ここからアンデルセンは本論に入っていった。彼は、デンマーク国王の個人的命令でベルリンに来たと述べ、国王は、戦争を停止して講和へと動く必要性を確信しており、それによって、ドイツ皇帝の役に立ちたいと希望している、と。デンマーク国王クリスチャン十世は、自らのイニシアティブで、ドイツ皇帝のその意思を伝え、同意されるならば、いとこの関係にある英国王、ロシア皇帝にも、この平和工作を説得する、という。バーリンは、これに応えて、英国ことに外相グレイのドイツに対する態度が問題であるとした。するとアンデルセンは、最近のロンドン訪問は、内閣の気分を探るためであったが、そこで気づいたことは、英外相は、プロイセン軍国主義を激しく弾劾しているものの、一般ドイツ国民、皇帝、政府に対しては同情的に見ているようだ、と答えた。

バーリンは、アンデルセンの和平への試みを興味深く聞き、デンマーク王の提案にも賛成したが、その成果に関しては頗る悲観的であった。彼によると、ドイツ軍が西部戦線で勝利を収め、フランスのカレーまで進撃した時、初めて和平交渉が行われるであろうとした。これに対し、アンデルセンは、真っ向から反対し、交戦国が最後まで戦いつくすことの非を説き、まず独英間で妥協が生じ、そこから全面講和に導かれるべきであるとした。彼はなお、デンマークによる独英間の仲介成功の希望を抱きつつ、ベルリンを後にした。

英外相グレイは、十一月二十七日、アンデルセンからドイツ訪問の報を知ったが、そこにドイツ帝国指導部の現実的意図を見出すことはできなかった。アンデルセンは、ドイツにおけるバーリンの存在を過大評価していたのである。彼は、ロンドンへの報告では、バーリンはドイツにおける「私設閣僚」であり、ドイツ皇帝と共に、この仲介問題に決定権を持つ者としていた。戦前には、バーリンは政治問題での、その発言は有力であった。ことに彼は、英国との連絡役として、しばしば使節となった。その目的は、両国の政治的、ことに海運通商上の妥協のためであった。一九一四年七月、バーリンはドイツ帝国指導部によって英国に派遣された。その任務は、英国がロシアと海運協定を結ばないこと、またそれによって、独英両国の最後の架け橋が途切れないためであった。

両国の開戦防止に失敗した後でも、バーリンは妥協の可能性を追求していた。彼の確信では、ドイツの未来は英国との協調にしかない。だが大戦勃発後、彼の地位には変化が生じた。バーリンは、大本営で軍人たちの間にある皇帝とは滅多に会えなくなり、宮廷においても、その立場は部外者のようになった。親英派とされていた、ハンブルクの実業家の彼は、今や平和主義者、敗北主義者と非難されるようになったのである。内閣とバーリンとの関係も変わってきた。ことに外相ヤーゴは、彼に不快感を抱いた。バーリンも、ヤーゴほか外務省の要人たちを無能呼ばわりした。宰相ベートマン・ホルヴェークの才能についても、バーリンは秘かに軽視しており、開戦直後、皇帝に「平和の交渉者」として不適であるとして更迭を求めたほどであった。これに反してベートマン・ホルヴェークは、バーリンの存在を認め、政治問題に関して、しばしば助言を求め、開戦後もこれは変わらなかった。

バーリンが自らに課した任務は、ドイツ人と英国人とが並行ないし協力して世界問題に当たることであった。彼はロシアを同盟の仲間とするのを拒否している。現在の英独の戦いは、両国の指導者間の紛争にすぎない。両国が妥協する時、ドイツの海外発展も可能なのであると信じていたのである。

開戦後、最初の週間にあっても、バーリンは独英和解のチャンスについて楽観的であった。「七月危機」における彼の体験にもとづいて、英外相グレイは、戦争に引きずりこまれ、英国民の大部分は、この戦争に反対している、と信じていた。それゆえ、バーリンはドイツの海洋艦隊の出撃には猛烈に反対した。なぜなら、両国にとって威信的存在の対決は、和解、妥協を困難にするし、たとえドイツ海軍が勝ったとしても、英国は戦争を最後まで続行することになるからである。このような楽観主義にもかかわらず、バーリンは、英国との単独講和をめざしてはいなかった。彼は、英国が仏露との同盟を捨ててドイツとの和平に向かうことはないと知っていた。それゆえ、彼が考えるのは、まず独英の接近の上、仏露をも入れて全面講和へと進むことであった。

アルバート・バーリンとならんで、ドイツ帝国には、戦前から戦中になっても、独英協調を主張する人々が存在した。英国駐在大使のカール・マックス・リヒノフスキーや一九一七年に宰相ベートマン・ホルヴェーク辞任後、外相となったリヒアルト・フォン・キュールマンらがそれであった。彼らの構想は、英国を不倶戴天の敵とみなし、それに代わってロシアとの妥協を計る人々によって痛く攻撃された。ベートマン・ホルヴェークが名づけた、この「親英派と親露派との抗争」は、開戦後も数カ月にわたってくすぶり続けた。

それゆえ、ドイツには「誰に対して戦争するのか？」あるいは「どちらの側に向かって戦争をし、それを終わらせるのか？」の問題についての意見の一致はなかった。つまりドイツの主敵はどこか？　フランスは英国に依存しているから、「主敵は英国かロシアか？」であった。バーリンら、西側との妥協のプログラムは、一九一四年十月、反英派の代表たちと直接対決することになった。その代表は、海相アルフレート・フォン・ティルピッツであった。この人物は、バーリンを政治的未成熟と非難し、英国こそこの世界戦争の主犯であり、ドイツが生命を賭して戦う敵国であると主張する。バーリンらが言う英国との妥協は、ドイツの戦力が英国より小さい時、初めて可能なのであり、ドイツが世界強国として上昇しようとすれば、英国はそれを徹底的にたたくであろう。英国とは、あくまで立ち向かい、英国艦隊を打倒しなければならない、と。この一大決戦のため、ティルピッツは東部の背後を安全にしたいと考えた。つまりロシアとは、反アングロサクソン同盟を結ぶのである。ロシア帝国に対しては、英国と同様、利害対立がないわけではないが、この際、英国との決戦のために、共存を可能にするような形式をあえて求めるのである。

ティルピッツは、宰相ベートマン・ホルヴェークとは、内政問題においても敵対関係にあり、保守陣営から支持を受けていた。自由主義、民主主義的な英国への反感は、かつてプロイセン・ドイツとロシア帝国との友好と結びついていた。すなわち、東の強国ロシアとの共同体は、ドイツにおける西欧的議会制民主的発展に対する防壁と考えられたのである。これに敵対する勢力は、反ロシアで、反動的ツァーリズムに反対する社会民主党であり、また西欧文化とその政治形態を理想とする自由主義的市民であり、さらにまた、ロシアの権力増大を恐れる現実政治上の理由から反ロシアを標榜する人々であった。

ドイツのジャーナリズムにおいては、反英感情をあらわにした傾向が強かった。大衆に向けての宣伝は、反ロシアでなく、「不信の英国」に向けられていた。バーリンは、一九一四年十月、ドイツ国内での英国に対する「極端な怒り」に驚いている。それでもなお、バーリンは、独英仲介を説得してドイツ帝国指導部から同意を得るものと期待していた。

ドイツの政府部内では、ティルピッツは、一般的人気はあるものの、むしろ孤立していた。宰相ベートマン・ホルヴェーク、外相ヤーゴ及び外務省の要人たちは、ロシアこそドイツの主敵とみなしていた。一九一四年七月危機にあって、ドイツの恐怖は東の隣国ロシアであった。ベートマン・ホルヴェークは、大戦勃発の誘因者こそロシアであり、このことは、反政府的な社会民主党を政府支持に回す内政上の意味ばかりでなく、ドイツの最大の危険こそ「野蛮なロシア」と見ていたからである。そして英独仏という西側の「文化ブロック」という未来像が描かれていた。事実、一九一四年八月の開戦時において、宰相をはじめとするドイツ政府の「戦争目的」は、ロシアとの闘争であったのである。

かくして宰相ベートマン・ホルヴェークは、バーリンと同様、英国に関しては楽観的であった。つまり英国との闘争は、ドイツにとって基本的に誤りだという、いわば宿命的な見解を抱いていたのである。彼は八月十二日、前任の帝国宰相フォン・ビューローに、次のように語っている。「英国との戦争は雷雨のようなもので、すぐに過ぎ去る。それゆえ、これはせいぜい三カ月、長くとも四カ月で終わろう。」そして「戦争にもかかわらず、その後、真の友好的な相互関係が、英国との間に生じ、さらに英国によってフランスとも同様になろう」と。ベートマン・ホルヴェークは、英国がドイツとは激しく戦闘を行わないであろう。それは世界経済に関心があるからだと見ていた。それゆえまた、八月八日彼は、英国とはドイツとの海上戦闘は控えめにしたい。それは英国とは、平和をもたらす可能性を残すためであるとした。リヒノフスキーは、八月五日ロンドンから帰ると、「英国はロシアの強大化を恐れているから、ドイツとの和解を求めるであろう」と報告している。

ベートマン・ホルヴェークは、英国とは破局に至るぎりぎりの所まで、このような希望にしがみついていた。つまり、英国とはできる限り戦闘と短期に終わらせたく、それゆえ、戦闘は可能な限り停止させて、政治的解決に進みたい。英外相グレイの手で和平が実現すれば、ドイツは孤立から脱して独英によって新しいヨーロッパ秩序が作られよう、と。この目的のため、彼は大戦勃発時に一時帰国していた駐米大使ベルンシュトルフ伯に、八月十二日、帰任に際して、ドイツは英国に対しては、攻撃的でなく、なるべく和解したいと、米国政府に伝えよと訓令している。このようにベートマン・ホルヴェークは、英外相グレイと早期に和解する機会をワシントンを通じて得ようとしたのである。

ところが開戦後、最初の週のうちに、宰相ベートマン・ホルヴェークの行動は、英仏との和解という誤れる平和を結ぼうとしていると、大本営、保守派の政治家たちによって激しい非難を浴びた。そしてやがて、ベートマン・ホルヴェークは、自分が英国の役割を見誤っていたと、認めざるを得なくなった。すなわち、英国は大軍をヨーロッパに派遣しており、九月四日、首相アスキスはドイツ、オーストリアの中欧強国の打倒を語るのみであり、五日にはロンドン協定が締結されたのである。

かくしてベートマン・ホルヴェークは、この戦争が一か八かの戦いにほかならないとさとった。そしてドイツ指導部は、広範な戦争計画を立てざるを得なくなった。九月九日、かの有名な「九月綱領」と称せられるドイツの戦争目的が発表されたのは、この時である。この時点で、デンマークが努力していた和平工作の見込みは薄くなったと言えよう。

⑥ 英国外相グレイの仲介提案

全世界は、オーストリア＝ハンガリー政府の最後通牒の峻烈な内容に驚愕した。

英国外相グレイは、独立国の主権を冒す、今まで見たこともないものと批評したが、この二国間の紛争に何らかの仲介を考えたのは、彼であった。英国は、三国協商に参加してはいたが、軍事同盟には入らず、ドイツとの対立関係も、一九一二年の両国和解の試みは失敗したものの、一九一四年には、英独両国はともに、帝国主義政策を行いながら、戦争はしないという暗黙の了解はできていたように見えた。そこで英国外相グレイは、七月中に七回にわたって仲介案を提出している。その内容は、ロシアがセルビアに対して、ドイツがオーストリアに対して説得し、二国間の紛争を和解させる。次に、オーストリアの最後通牒の期限の延期であるが、この二つは、ドイツの拒否、ないし通告の遅れによって不成功に終わった。次に、オーストリア政府がセルビアからの回答を受諾するようにとの勧告もなされた。しかしこの仲介案は拒絶された。そして二十五日の夜、オーストリア、セルビア両国は国交を断絶し、ともに動員を行った。しかしその翌二十六日、英外相グレイは、第四回目の、最も重要な仲介案を示す。それは、ロンドンにおいて英露仏独四カ国の大使会議を開き、仲介案を提示するというものであった。グレイは、在英駐在のドイツ大使に、これが拒否されれば世界戦争になると警告している。この提案は、ドイツを除く三カ国に受け入れられた。ただドイツ外相ヤーゴのみは、このような会議は性格上あまりにも仲裁裁判的であり、友邦オーストリアを法廷に被告として招くことはできないと断った。

この時、かのニッポルトは、大使会議が開催されなかったことを頗る遺憾に思っている。彼によれば、大使会議は、一九〇七年十月十八日のハーグ国際紛争平和的処理条約会議の第三条、「締約国は、紛争以外に立つ一国又は数国が事情の許す限り自己の発意をもって周旋又は仲介を紛争国に提供することを有益にして且希望すべきことと認む」の実行であった。ニッポルトの指摘によれば、一九一二年十一月、第一回バルカン戦争の後、セルビア、ブルガリア、ギリシャ、モンテネグロのバルカン同盟諸国がトルコと戦って勝利した後、セルビアのさらなる拡大を抑えるため、アルバニアの独立を進めるオーストリアと、セルビアを後援するロシアとの対立から、再び戦争の危機が生じた時、英国のグレイ、ドイツのベートマン・ホルヴェークの招請によって、ロンドン大使会議が開催され、これにはフランス、ロシア、イタリア、オーストリアも参加して、その目的を達した例があった。ニッポルトは言う。これらの大使会議は決して裁判ではなく、仲介である。ヨーロッパ戦争の危機を前にして、このような理由の反対は、ドイツに誠意がない証拠である、と。

⑦　ロシア帝国政府の総動員令

ロシアには社会的、政治的危機が存在していた。一九〇五年、日露戦争中に「血の日曜日事件」から生じた「第一革命」は、帝国政府側の譲歩的な諸改革によって、危機的状況は若干鎮静化したとはいえ、なお厳然として存在する身分制度、階級対立、ロシア帝政を真っ向から否定する革命運動など、この国家には、大きな社会的、政治的矛盾が目立っていた。当時のロシア政府は一枚岩ではなく、穏健派と強硬派とに分かれていた。皇帝のニコライ二世は教養の持ち主であったが、エネルギッシュでなく、一八九九年のハーグの世界平和会議を招待した人物である。また露仏同盟にもかかわらず、ウィーン及びベルリンとも密接な関係を保とうとした。これは、いとこにあたるドイツ皇帝ヴィルヘルム二世（ふたりは、ヴィリー、ニッキーと呼び合っていた）との往復書簡にも表れている。帝妃アリスも、ドイツのヘッセン大公の娘で、英国ヴィクトリア女王の孫にあたり、平和を望んでいた。宮廷に取り入って政治にも介入した怪しげな祈禱師ラスプーチンも平和を主張していた。この穏健派に対して、汎スラヴ主義を求める進歩派は、戦争をも手段とする政治をいとわなかった。その代表的人物は、外相サゾーノフと参謀総長ヤヌシケヴィッチであった。もとより、ロシアがセルビアに軍事介入することは、疑いなく大きな冒険であることは分かっていた。

全世界は、ロシアがオーストリアの行動を冷静に見るか、セルビアとの同盟のため紛争に入っていくかを注目していた。ロシアは、オーストリアがセルビア領内に軍隊を送らず、この両国の紛争をヨーロッパの問題として解決し、セルビアを主権国家として認めるならば、ロシアは、それを待つという態度であった。

七月二十五日、かの最後通牒の日が来た。セルビア政府が、この通牒のうち、重要な一つの部分を拒否したことは、すでに開戦を意味していた。二十六日、オーストリアでは動員が行われ、ウィーンからペテルスブルク宛には、セルビアに対して討伐遠征を行うが、これは領土の併合を意味するものではないとの保証が送られた。ロシアでは、二十八日、キエフ、オデッサ、モスクワ、カザンで部分動員が発令された。国際法は、動員した国または戦争遂行の国の国境に、隣国が動員するのは当然と認めていた。もちろん、この動員令はツァーによって署名されていたが、この間、ペテルスブルクでは、より強硬な「開戦派」が形成されていた。彼らは、七月二十八日オーストリア軍のベオグラード砲撃を聞くと、直ちに戦闘開始を主張した。七月二十八日から二十九日にかけて、サゾーノフ、ニコライ・ニコラエヴィチ大公及びヤヌシヴィチらは、ツァーに部分動員を総動員に変えるよう強制した。ツァーは、この日、ヴィリー、すなわちドイツ皇帝宛に次の電報を打っている。

「僕は自分に課せられた強制に抵抗できず、戦争となる措置を取らざるを得なくなった。これがヨーロッパ戦争になる不幸を防ぐため、僕は古い友人の君に、これ以上悪くならないよう、君ができるだけの事をするよう願う」と。

同日、いとこのヴィルヘルム二世から、穏健な政策を要求する電報が届いた。ツァーはこれにより、三人からの心理的圧迫から解放されて、総動員令をいったん取り消した。ところが、その翌日、開戦派は再びツァーに要求して総動員令の許可を得た。三十日の午後六時のことであった。この総動員が、オーストリアに向けられず、ドイツに対するものであることは明らかであった。

それがドイツ参謀本部を硬化させ、皇帝にロシアに対する総動員を求める結果となった。彼はいったん拒否したが、しばらくして、「戦争の危機状態」の布告に変わった。ベルリン駐在のロシア大使セレブリャコフは、直ちに本国政府にドイツの総動員を報告した。ドイツ政府はそれを否定していたが、その報は、ロシアの開戦派のために利用され、ツァーに開戦を説得する武器となった。のちに外相サゾーノフは、ツァーへの説得が、いかに難しかったかを語っている。ニコライ二世は、軍備の不足から、戦闘によって生じる「十万の人命」の犠牲を恐れた。しかしその日すでに、総動員の兵がペテルスブルグの市街に溢れていた。ロシア駐在のドイツ大使プルタレスは、ロシアとドイツとの国境における総動員解除を最後通牒として要求した。外相サゾーノフが拒否すると、ドイツ大使は間もなくロシアに対する宣戦布告をもたらしたのである。二人は抱き合ってこの不運を嘆いたという。

八月二日、ロシア皇帝ニコライ二世は、宣戦の詔勅を発表した。ロシアの名誉、尊厳、領土を守るべく、全国民が一致団結して立ち上がるように求めたのである。ここから全ロシア人は、かつて見なかった挙国一致の体制を生むことになった。ロシア軍の総動員は順調に進んだ。

開戦後ドイツの先制攻撃を受けたフランスが、ロシアに即刻の反撃を要求すると、最高軍司令官ニコライ大公は、準備完了を待つことなく、東部戦線での攻撃を開始した。その戦略と進撃計画は、ガリチア方面を第一に、東プロイセンを第二の攻撃目標としていた。すなわち五個軍団はガリチアでオーストリア＝

ハンガリー軍と、二個軍団が東プロイセンでドイツ軍と戦闘を交えたのである。オーストリア軍との戦闘は、九月末日までロシア軍の有利に展開した。ドイツ軍は、八月十九日から二十二日までのロシア軍の進撃に対して東プロイセンから撤退し、この地の大部分はロシアの制圧するところとなった。だがその後、ドイツ軍は、八月二十六日から三十日にわたるタンネンベルクの戦闘でロシア軍をほぼ全滅させた。これより戦局は漸次ロシア軍の不利に転じていくのである。

さて戦争勃発時のロシアの「戦争目的」は何であったか？　まず好戦的強硬派の人々が意図していたように、汎スラブ主義をいっそう進ませて、バルカン半島のオーストリアとトルコの領土を併合することであったであろう。またドイツの東部、今日すでにロシア領になっている東プロイセンなどの併合も視野に入れていたと思われる。

⑧　フランスの開戦と戦争目的

一九一四年の独仏開戦の経過を考える際、それに先立つ十年間の関係を見る必要がある。戦争の危機は、一九〇五年、一九〇九年、一九一一年のモロッコ事件、一九一二、一三年のバルカン戦争の際にも存在した。国民は神経質になり、戦争がいつかは来るものと信じるようになった。フランス政府は軍備の増強に努めた。一九一三年七月には、三年間の義務兵役制が導入された。大統領ポアンカレーは、ドイツとの紛争を避けることできない宿命としていた。一九一四年六月まで、首相を務めたガストン・ドゥメルグも、ドイツ人の気質はたえず戦争という冒険をすると評していた。だがそれでもフランスの指導者たちは、この時平和を望んだ。事実、一九一四年四月二十六日から五月十日に行われた普通選挙では、反戦平和を唱える社会党、急進社会党が勝利したので、パリのドイツ大使は、フランス外交は鎮静化し、平和的になると考えた。六月十二日、ベルリン駐在のフランス大使ジュール・カンボンも、「今、我々にとって危機は遠ざかりつつある。」と記している。

その月の二十八日、サラエボでの事件が起きた。この危機に際してフランス政府は、内政上の困難や軍備の不足を抱えていて、戦争を全く欲しなかった。そこでオーストリア＝ハンガリー帝国とセルビア王国との紛争にあたって、七月二十七日に英国が行った仲裁会議の提案に、躊躇することなく賛成した。しかしロシアの真の利益が、オーストリア＝ハンガリーの決定によって損なわれるにつれて、フランスの政策も動揺する。ロシア外相は、「ロシアは、オーストリア＝ハンガリーがセルビアを踏みにじり、バルカン半島を支配するのを認めるわけにはいかぬ」と述べた。一方、フランス政府は、仏露協商を維持するために、フランスはこのロシアの政策を支持せねばならなかった。仏露協商を維持するために、英国艦隊がフランスの海上連絡のため、ぜひ必要であったから、英国の支持なくして、ヨーロッパの紛争に入るのを恐れていた。つまり、ロシアの態度と英国の意向とが、七月危機におけるフランスの政策を決定するものであった。

仏露軍事同盟が結ばれたのは一八九二年である。それによるとフランスは、ドイツがロシアに対して動員した場合、直ちに動員し、またドイツがロシアを攻撃した場合は、すぐ武力で介入しなければならなかった。そこで問題なのは、「七月危機」に際してフランス政府が、この義務をいかに解釈したかである。オーストリア＝ハンガリー政府がセルビアに最後通牒を発した時、フランス大統領一行はロシアに滞在していた。彼は同国のオーストリア＝ハンガリー公使に次の警告を送っている。「セルビアはロシアの友邦であり、ロシアには同盟国としてフランスがある」と。仏露軍事同盟を強調したのである。しかし三日経って、オーストリアの最後通牒の条件が明らかになると、フランス首相ヴィヴィアーニは、ロシア政府に、全体の平和の利益の中で行動するとのみ述べた。七月二十八日、セルビアに対する宣戦布告がなされると、ロシア政府は、オーストリア＝ハンガリーに対する動員を布告した。その翌日、ロシア駐在のドイツ大使は、ロシア外相に、もしロシアが部分動員を続けるならば、ドイツも対ロシア動員を行うと警告した。だがロシアは動員を続行した。フランスはロシアが攻撃された際、ロシアを支持するのが同盟の義務であった。フランス政府はロシアの動員を認めたが、ドイツの反動を招くような対策、つまり総動員をとらないよう勧告した。

七月三十日午後、ロシア政府はこの助言を聞かず総動員を発令した。それは三十一日朝に知らされた。ドイツ政府は最後通牒をもってこれに応え、またフランスに対し、独露開戦の場合に中立を保つか否かを緊急に問い合わせた。フランス政府は、ロシアの総動員とドイツの対策を知り、ドイツの照会を拒否して、ドイツの総動員の同日に総動員令を発した。フランス政府は、八月二日夕、ドイツの対ロシア宣戦布告を聞くと、直ちにロシアに武力援助を通知した。だが八月一日から二日にかけて、フランスは英国が自己の陣営に加わるかどうか判らなかった。英国政府は、一九〇四年の協商を軍事同盟にまで発展させるのを拒否していた。つまり英国はフランスがドイツの攻撃を受けても武力援助するのを約していなかったのである。だが一九一二年十一月には、平和が脅かされた場合、英国はフランスと協議に入ると誓約していた。

オーストリア＝ハンガリーの宣戦布告の後、ロンドン駐在のフランス大使は、英国政府に働き掛けたが失敗した。七月二十九日、外相グレイはフランス大使に、「紛争がオーストリア＝ハンガリー、セルビア、ロシアだけのものであったら、英国は介入しない」と述べている。七月三十日にもグレイは、「英国は介入するとは保証できない」と繰り返した。八月一日、ドイツがフランスに最後通牒を発した時でも、なお保証を与えるのを避けている。だが八月二日、英国政府はついにフランスに保証した。「もしドイツ艦隊がフランス沿岸を攻撃、またはフランス商船を攻撃するため、英仏海峡を横切り、さらに北海を遊弋し始めたならば、英国艦隊はフランスを守るため出動する」と。そしてドイツ陸軍がルクセンブルク大公国に侵入し、ドイツ政府がベルギーの中立侵犯を決意したことが明らかになると、外相グレイは、この中立侵犯は英国にとって「開戦の理由」になり得ると、フランス大使に明言した。八月二日の夕、フランスにとって重大な決定が下った。「フランス政府は、ドイツがロシアを攻撃するや否や、宣戦布告する」と、これは英国の支持があったからである。

フランス政府の政策は世論の支持を受けていた。戦争の危機が迫ると、世論は「諦め、そして決意した」のである。フランス国民は、ロシアとの同盟を決定的なものと捉えていた。それゆえ、政府の政策はほとんど一致して賛成した。それ以前、総動員に対してはゼネストで闘うと述べていた組合指導者も、七月二十九日には、戦争に反対する直接行動を中止した。八月二日、労働組合は声明文を発表して、この戦争は「フランスが、オーストリア＝ハンガリーによって強いられたものである」とした。そして四日、ドイツ社会民主党と同じ日に、フランス社会党も一致して、戦争予算を可決したのである。

フランス全土では、ドイツ軍が侵入してきたら、「祖国防衛」に奮起する必要があるという意識が強く働いた。八月四日、首相ヴィヴィアーニは議会において、「ユニオン・サクレ」（神聖なる同盟）によって、国内の対立抗争を停止して挙国一致の体制を作ろうと呼びかけた。八月三日の時点で、フランス軍の現役兵員数は八十八万二千、総動員令によって予備役三百七十四万が招集され、総計四百六十二万となり、ドイツに対する先制攻撃が立案されていた。総司令官ジョッフル将軍のもと、その主力の第一軍はロレーヌの正面（最右翼）に当てられ、それより北、左翼に向かって第二軍から順に第五軍までが配置された。

フランスの戦争目的の第一は、言うまでもなく一八七〇年の戦争でドイツに奪われたアルザス、ロレーヌ地方の奪回であった。ことにロレーヌは、フランス語を話す住民の地であるから、フランス軍はそこに進撃して、住民をドイツ政府に対して蜂起させ一気に目的を達成しようとした。フランス政府と軍部は、ドイツ軍の「シュリーフェン・プラン」の存在を知ってはいたが、ドイツ軍が、国際的に認められていた永世中立国ベルギーに侵入して、そこからフランスに突入するとは予想していなかった。しかもフランス軍のロレーヌ攻撃に先んじてドイツ軍のベルギー侵入が始まり、独仏間の緒戦の状況はフランスの不利に陥ったのである。

⑨　英国の参戦、世界大戦に拡大

一九一四年七月、英国政府と国民は、戦争の危機を感じ取っていた。しかしこの危機は、列強の全てが武器を取った「ヨーロッパ大戦」ではなく、アイルランド内戦であったと、オックスフォード大学教授のA・J・テイラーは述べている。アイルランドは十九世末から、この地方に独自の議会を制定する動きがあり、「ホームルール」（自治法）が一九一四年、政府の三度目の提案によって上下両院で可決されたが、プロテスタントの住む北アルスターには、この法律が適用されなかったことから、同地のナショナリストが武力蜂起した。アイルランド駐在の英国軍はこれに応ぜず、一九一四年三月、その地の英軍将校は、アルスターで闘うよりは辞職したほうがましだと言う始末であった。ロンドンでは、この問題で会議が続けられ、同月二十四日、成果なく解散している。英国人の眼は、ひたすらアイルランド問題に向けられていたのである。

ヨーロッパのほかの諸国間の事件など考える余裕を持たず、英国人は今、国際外交は以前より平静に戻っていると思っていた。ドイツとの対立についても、例えばドイツ艦隊の問題はすでに解決済みとしていた。彼らはドイツ以上に多くの艦船を、しかも経済的な困難なしに作れると信じたのである。そこでドイツと英国との間には、友好的関係が存在していると思われた。両国はポルトガルの植民地を分割する点でも了解が成立していた。さらに英仏独三国による、バクダート鉄道融資の協定もでき、かくしてヨーロッパの三文明国、英仏独の新しい協力が成立したかのように見えた。つまりこの三国がトルコで反ロシアの統一戦線を作り、ロシアの危険はなくなると信じられたのである。

英国はフランスのために、英仏露の三国協商を締結していた。多くの英国人はフランスの独立を守ろうとした。かつて英国が二回のモロッコ事件に際して、フランスの側に立ったのもそのためであった。一九一四年四月、外相グレイは、「ドイツがフランスに対し威嚇的、攻撃的に出るなら、英国の世論はフランス援助を政府に認めるであろう」と述べている。しかしロシアに対しては、その態度は違っていた。一九〇八年のボスニア危機でも判るように、ロシアのために英国が介入することはなかった。ロンドンの政府は、ロシアがフランスを助けるのを望んだが、フランスがロシアを助けるのは望まなかった。一九一四年七月の大戦前夜の危機にあっても同様であった。英国はフランスの敗北を望まなかったが、「トルコの背後にある紛争のゆえに」戦争に巻き込まれるのは欲しなかったのである。

オーストリアのフランツ・フェルディナンド大公の暗殺は、英国では大した関心を引かなかった。人々は言った。「これは暗殺流行の地セルビアの典型的な事件だ」と。そしてオーストリア＝ハンガリーがセルビアを何らかの方法で罰し、しかもこの大国と小国との紛争では、当然小国が譲歩するであろう、と考えた。外相グレイは、七月二十四日に、オーストリア＝ハンガリーの最後通牒を知った。しかし彼は、仲間にそれを読んで聞かせただけであった。セルビアの回答は二十五日のはずであった。その日は土曜日で、グレイはアルスター問題の長い会議で疲れ果て、この週末はハンプシャーに釣りに出かけた。そして月曜の二十七日、ロンドンに帰ってくると、彼はロシアがセルビアの背後にあり、しかも動員を準備していることを知った。

グレイはこの時、オーストリア＝ハンガリーとセルビアとの間に立って仲裁する考えを抱いた。すなわち、この事件と直接利害関係を持たない英・露・仏・独の四国がロンドンで大使会議を開こうというものであった。この提案は、ドイツの拒否によって、何ら実りないものに終わったのは前述したところである。オーストリアは、グレイの提案を無視して、セルビアとの戦闘に入った。これは、第三国から何らかの仲介が入る前に、ドイツの後押しもあって、あえて強行したのである。その後、グレイは何もしなかった。成り行きに任せる気になり、今後の出来事が取るべき政策を指示するであろうと考えたのである。しかしまた、グレイは局外に立つと声明もしなかった。それは大国としての英国の影響力を破壊するからであった。また彼は、フランスとロシアを支持すると声明もできなかった。保守党はもとより世論も、ロシア支持に反対だったからである。グレイは自由党出身の外相であった。自由党政府は、労働者やアイルランドの票を頼りにしていた。多くの自由党員はもとより、労働党支持者やアイルランド人も、いかなる理由にせよ、ヨーロッパ戦争への介入に反対していたのである。

グレイは、危機が最高に達した時でも、なお回避できると思っていた。そこで英国は七月末になっても、まだ動かなかった。三十日、銀行界の代表は財務相ロイドジョージを訪ね、いかなる犠牲を払っても戦争を回避するよう要請した。自由党の代議士会では中立が決定された。ただしグレイの要求で、この決定は公表されなかった。この週の間、下院ではヨーロッパの危機には何ら触れず、ただミルク・チーズ法の議論に終始していた。七月三十一日（金）、ロシアが動員し戦争となるのが明らかになった。それでもグレイは、英国の政策を決めなかった。彼はドイツ政府に理性的な提案をするよう求めた。しかし同日、グレイは独仏政府にベルギーの中立を守るかを問い合わせた。この照会は一八七〇年の普仏戦争勃発の際にもなされ、両国はそれを肯定したのである。英国政府はドイツからの回答を待った。だがその時、ドイツ参謀本部は、ベルギー侵入の確固たる計画を決めていたのである。

八月一日、ドイツはロシアに宣戦布告した。英国では反戦気分が高まっていた。「中立連盟」も結成された。グレイもこの気分に同調して、ドイツ大使に、英国はドイツがフランスを攻撃しない限り中立を守ると述べた。しかしフランスはロシアとの条約のために参戦が義務づけられていた。英国はなお中立を守ろうとした。だがフランスはドイツから最後通牒を受け取った。フランスは英国に援助を求めた。これに対してグレイは、内閣と議会と世論とが如何に決定するか待たねばならぬと答えた。八月二日、内閣は決定を下さねばならなくなった。古くからの急進派のロードモーレイは、ドイツ艦隊が英仏海峡でフランスを攻撃するのを許すわけにはいかぬ、それゆえもしドイツが、この件に関して英国の警告を尊重するなら、英国は中立を守ることができると主張した。内閣もこれに同意した。

この頃、トラファルガー広場をはじめ、大都市では反戦のデモが盛んだった。だが同日の夕、ドイツはベルギー侵入について、英国の承認を求めてきた。ベルギー政府は、英国に援助を求めた。翌朝、英国政府はその要求を受け入れた。しかし、それで戦争に入るとは考えていなかった。英国がドイツに要求すれば、ベルギーの中立は保たれると考えていたのである。しかしこの時、大衆の気分は高揚していた。彼らはバッキンガム宮殿前に集まり、「我々は戦争を望む」と叫んだ。閣僚たちの考えも変わりつつあった。ロードモーレイは、なお戦争に反対し、そのため内閣から去った。

英国政府は、一九〇四年の三国協商を軍事同盟にまで発展させてはいなかった。だが前述したように、八月二日、フランスに対し、もしドイツ艦隊がフランスや商船を攻撃し、英仏海峡を横切って北海に進出したら、英国艦隊はフランスの防衛のために出動すると述べた。その後、ドイツ陸軍がルクセンブルク大公国に侵入し、さらにベルギーの中立を侵すことが明らかになると、外相グレイは、この中立侵犯が、英国にとって開戦理由を意味すると明言した。そして四日、ドイツ政府に最後通牒を送り、事実上それが英国の対独宣戦布告となった。

この時、日本には、世界大戦勃発の直接の原因となるバルカン半島問題や独仏間の敵対関係は、何ら関係がなかった。だが一つには日英同盟のよしみにより、また一つには列強がアジアから手を引かざるを得なくなったのを見て、中国に勢力を拡大する好機と捉え、協商国側に立って参戦することになった。八月十五日、ドイツに対し、中国の領海からドイツの艦艇の撤退と、膠州湾租借地を中国に還付する目的で、ひとまず日本に引き渡すよう最後通牒を送り、それが拒否されると、八月二十三日、ドイツに宣戦布告した。

イタリアは、オーストリア、ドイツと三国同盟を締結していたが、オーストリア領への領土拡大の意図を抱いており、そのため両国関係は冷却化し、その国境には共に防衛施設を設けるほどになっていたが、大戦勃発にあたって、初めは中立を宣言したが、一九一五年五月四日、三国同盟破棄を宣言、同月二十三日には、オーストリアに宣戦布告して協商国側に寝返った。

反対に同盟国側には、一九一四年十一月、トルコが、一九一五年十月、ブルガリアが加わった。

協商国（のちの連合国）側には、すでにセルビアとモンテネグロが加入していたが、一九一六年には、ルーマニアが、さらにその後、連合国に強制されてギリシャも加わった。そして一九一七年、米国が参戦、これに引きずられて多くの中南米諸国も加入して、ここに文字通り世界大戦が実現したのである。

この大戦は、一大決戦の後、短期間で終わると考えられた。それゆえ、長期にわたる戦需物資は用意されず、戦時経済への転換もなかった。各国の参謀本部の戦術構想も不十分で、開戦当初から拡大する戦闘が展開された。それは予期できぬ消耗戦に終始し、双方とも、統一的な戦争計画や共通の命令系統も見られなかった。ニッポルトの見解によると、先んじて宣戦布告したオーストリア＝ハンガリー帝国、それに加担して「白紙委任」したドイツ国には開戦の責任がある。また当時戦争を意味する総動員令を発したロシア帝国には、穏健和平派と、彼が「軍国党」と名づけた好戦派との対立が存在し、後者が勝利して戦争になったとしている。開戦を決意するに至った列強は、初めは従来の戦争と同様、短期戦のうちに終わるものと信じていた。しかし「ヨーロッパ戦争」となると、当事者たちは、やっと事の重大さに気づく。そこで、この開戦を決意するに至った動機をいくつかの事例によって考察したい。

⑩　結びに、列強の開戦の決意について考える

「予防戦争論」（Preventive War）

これは必ず戦争になるとの予想と共に、有利な状況を見て、他国からの攻撃に先んじて戦争を始めること。ニッポルトは、ヨーロッパ各国の軍備拡張競争は、必ず予防戦争論に達すると述べている。世界大戦前のドイツでは、フランスの対独復讐運動、ロシアの汎スラヴ主義による挑戦を理由にして、戦争は必至との見解が強かった。これはすでに一八七五年、宰相ビスマルクもフランスの軍備増強に対して、「戦争は視界にある」と宣伝している。また一八八六年には、フランス陸相ブーランジェによる復讐運動の宣伝に対しても、さらに一九〇九年のボスニア・ヘルツェゴヴィナをオーストリアが強引に併合した際にも、ドイツでは予防戦争論が展開された。もっとも最近、第一次世界大戦後、百年を経た独仏両歴史家の共同研究による見解では、フランス側の復讐論よりもドイツのほうが、フランスからの復讐を叫び立てていたという。七月危機の際、ロシアが総動員令を発し、それがセルビアの援助のためのみならず、ドイツの国境に向けられたことを知ると、ドイツ政府及び軍部は先んじて

「攻撃こそ最大の防御」との当時の各国軍部の見解のもと、敗北を前もって予防するための開戦を決意するに至った。

「前方脱出論」(Flucht mach vorne)

これは、もはや後に引けない状況から、流血を覚悟しての前進による開戦である。

七月二十三日、オーストリアの参謀総長コンラートは、次のように述べている。

「これ（暗殺事件）は、セルビアのオーストリア＝ハンガリーに対する宣戦布告である。今また、セルビアの暴力行為に対して譲歩していたら、帝国は、南スラヴ、チェコ、ロシア、ルーマニアの宣伝や、イタリアのイレデンタ(失地回復運動)によって、老大国は根底から動揺し、その爆発にさらされる。それゆえ、オーストリア＝ハンガリーは、セルビアに敢えて戦争しなければならぬ」と。

この言は、「前方脱出論」の典型的な実例であろう、この決戦に敗北したら、ハプスブルク帝国は崩壊するはずで、事実そのようになった。

当時の総動員は戦争を意味するとされていた。ロシアが総動員令を発令して、その大軍がドイツとの国境に進軍しているのを察知したドイツ軍部は、すぐさま「シュリーフェン・プラン」によって、直ちにフランスへの攻撃を開始した。しかも短期決戦による勝利の必要上、中立国ベルギー領を通過してフランス侵入を試みたのである。この国際法違反が英国の対独宣戦布告となり、ドイツの立場を悪くした。しかし大戦前には、ニッポルトの要請に応じて、避戦運動に加担していたベルリン大学教授のヨゼフ・コーラーは、この国際法違反を緊急事態における「超法規的措置」として是認していた。

この見解はまさに「前方脱出論」の適用といってよいであろう。

「社会帝国主義論」(Social Imperialism)

ハンス・ウルリヒ・ヴェーラーらの見解で、国家は近代化を進めるにあたって、その産業の発展が、階級対立のみならず、商工農の利害の不一致、都市と農村との格差や緊張等を生み、その結果、国内では現政権への批判攻撃が激しくなる。すると政権側は、国内問題の解決より、むしろ対外緊張を宣伝誇張し、可能ならば戦争による強硬政策をとり、その勝利によって現政権の安定を計ろうとする。つまり、「経済、社会及び政治的ダイナミズムを外への膨張に向ける。この膨張は、社会、経済及び政治体制の内的な弱みをそらすこと、またその現実的成功によって、国家的威信を高めることになる」。

この理論は、帝国主義時代のヨーロッパ各国に適用される。さらにヴェーラーは、帝政ドイツについて、フリッツ・フィッシャーのテーゼと結びつけて、「七月危機」にあっては、国内政治の問題解決のため冒険的外交政策を手段としたが、そこから生じたロシアの挑戦は、ドイツでは差し迫った危機と捉えられ、「前方脱出」に至ったとしている。

「社会帝国主義論」にもとづく開戦からは、帝政ロシアの軍部及び強硬な外交を主張する一派が、当時の帝政ロシア国内で、差し迫った問題解決のため、あえて対オーストリア、さらにはその背後にあるドイツとの戦争に打って出たという解釈もできるであろう。

「力試し論」(Kraftprobe,Machtprobe,Blutprobe)

ニッポルトのヨーロッパ戦争の原因論には、「中立の立場から、特にドイツに留意して」とのただし書きがある。そこで注目すべき点は、一九一四年七月の危機にあって、宰相ベートマン・ホルヴェークの下のドイツ帝国政府がとった行動についての解釈である。ニッポルトは、そこで次のように記している。「ドイツとオーストリアは、『力試し』(Kraftprobe) をしようとした。つまりロシアが一九〇八年のように、今度も譲歩するか、と。これは危険な賭けであった、」と。

この賭けとは、オーストリアの強硬な態度を、三帝同盟のよしみによって、今度もロシアが黙認するか、あるいはセルビアを軍事援助して、オーストリアとドイツと戦うかである。この二者択一のうち、後者ならば、それは確実に「ヨーロッパ大戦」にまでなってしまう。その場合ドイツには、防衛戦争との正義が生じることになる。

ドイツの政治家は、存在を賭した試練を成功させねばならないが、いざという場合に備えて、「シュリーフェン・プラン」をも考慮に入れていた。それゆえにドイツには、大戦勃発の先鞭をつけていた責任はある。これによっても判るように、宰相ベートマンー・ホルヴェークはすでに、できれば外交手段で、うまくいかなければ軍事力を使ってもよいとの態度になっていた。彼自身「我々は行動すべきだ。そうでないと、オーストリアは同盟国の価値がなくなる。我々は協商国に楔を打ち込むべきだ。これは流血の力試し (Blutprobe) だ。もし戦争となるなら、一九一四年のほうが、一九一六年より良い、引っ込んだらダメだ」と発言しているのである。

「力試し」という見解は、一九九五年、ボン大学教授のヒルデブラントの大著『過ぎ去った帝国、ビスマルクからヒトラーまでのドイツ外交』にも、同様な見解が見出される。要約すると、「ドイツはこれを、国際的地位を改善する絶好の機会と捉えた。今までの守勢を攻勢に変えようとしたのである。すなわち、ロシア、フランスに対する力試し（Machtprobe）として、オーストリアが前面に立ち、ドイツがその後に控える。これは冒険（Risiko）であり、失敗すればヨーロッパ大戦になってしまう。ドイツの政治家は、ここで軍事闘争になるという宿命をも意識した。そしてこの絶好の機会に、存在を賭した試練（Probe）を成功させなければならぬと考えたのだった」（三〇三頁以降）。

右のような当時のドイツ帝国政府の見解は第一次世界大戦から百年後に出版された『仏独共同通史、第一次世界大戦』（ジャン＝ジャック・ベッケール、ゲルト・クルマイヒ共著、剣持久木、西山暁義訳、岩波書店、二〇一二年）にも紹介解説されている。その内容を要約すると、

ドイツ帝国政府は同盟国のオーストリア＝ハンガリーの利害だけに関心を持っていたわけではなく、サラエボ事件をロシアの意思を試すために利用しようとしていたことも、指摘しておかねばならない。ドイツ政府の戦略は複雑であり、またリスクを冒すことを辞さないものであった。ロシアは君主制国家としての連帯感から、オーストリア＝ハンガリーが、セルビア政府にそそのかされたと考えたサラエボのテロリストたちを懲罰することを黙認するであろう、というのが一般的な見方であった。しかし、もしロシアがセルビアを支持するために、あえて戦争の危険を冒すようであれば、それこそがロシアの攻撃性の証明であり、そのことが、ドイツの開戦決定を正当化するものとみなされた（上、七六頁）。

オトフリート・ニッポルトの名は、第一次世界大戦前や戦後の国際連盟の機能が働いていた時代には有名であった。しかし、その後は全く忘れ去られた。そして、第一次世界大戦からほぼ百年たった今、ニッポルトが開戦直後に記した「大戦原因論」が、すでに一世紀後の結論を先取りしているのは驚嘆に値しよう。

9　第一次世界大戦の展開と終局

①　短期決戦勝利の幻想

ドイツ軍部は、このたびの仏露両国を相手とする戦争においても、短期決戦による勝利を確信していた。半世紀前、ドイツ統一戦争において、デンマークとの戦闘では七十一日、オーストリアとは四十一日、フランスとの戦闘では三十八日で勝利した前歴があった。

次の新たな戦争は、東西の仏露二国を同時に相手にするものである。この作戦計画は、すでに一九〇五年、アルフレッド・シュリーフェン将軍によって策定されていた。その計画によれば、この二正面戦争において、主力を西部戦線に投じ、フランス軍を六週間以内に打倒する。この間、東部戦線におけるロシアの大軍との戦闘では、不利で一時的には、東プロイセンをも失うことを覚悟せねばならない。しかし、ロシア軍の総動員は遅いと予想されるから、その損害もたいしたことではなく、東部で耐えている間に、西部でフランス軍に完全な勝利を収め、返す刀でロシア軍をも完全に打倒する。これが彼の作戦計画であった。この短期決戦の勝利のため、対フランス作戦では、ドイツ軍は中立国ベルギーを経由して、右翼からフランスに突入し一気にパリを占領する。そこから大旋回してフランス軍をモーゼル川、ジュラ山系のスイス国境に押しつけ一気に包囲殲滅する。これがドイツ軍の作戦計画であった。他方、フランス軍のそれはと言えば、ジョッフル将軍の下で、主力の第一、第二軍をアルザス、ロレーヌ方面に進ませ、第三、第四軍はアルデンヌ高原へ、そして第五軍が、英国の遠征軍、ベルギー軍と共に左翼の防衛にあたるというものであった。

ベルギー国王アルベルトの妃エリザベートはドイツ生まれ、バイエルンのヴィッテルスバッハ大公の娘であった。国王はドイツ皇帝に、ベルギーの中立を尊重するように求めたが、その返事はなく、八月四日には、「ドイツ軍はベルギー領土に侵入するが、これはベルギーへの敵対行動ではない。講和後、直ちに撤兵する。ただしベルギーが拒否するなら、ドイツはベルギーを敵とみなす。十二時間以内に回答せよ」との最後通牒が送られた。ベルギー国王は、同日これを拒否した。かくしてベルギーは、歩兵六個師団、騎兵一個師団が、侵入ドイツ軍と対決することになった。八月六日、国王は、自らベルギー軍総司令官として戦うことになる。一般市民には、戦うことなく、屋内に閉じこもるよう指示された。

しかし、ドイツ軍が国境を越えて侵入したリエージュの町では、市民の抵抗に遭い、この町を突破するのに二週間を要した。市民百十人が犠牲となった。次のアルデンヌも焼き打ちに遭い、二百十一人が虐殺された。八月二十五日には、古い大学都市ルーヴァンが焼かれ、伝統ある図書館も犠牲になった。ベルギー政府の抗議は世界に伝わった。ロマン・ローランは、この時、「ドイツ人よ、諸君はゲーテの子孫なのか、それともフン族の王アッティラの後裔なのか」と批判している。また米国のハウス大佐は、「米国大統領はドイツの行動を非難している。もしドイツが勝てば、文明の方向が変わってしまう。アメリカ合衆国の民主主義の理想を捨てなければならなくなる。」と批判した。

ベルギーを進撃するドイツ軍は、八月二十日、首都ブリュッセルを占領し、さらに東進して三十日マルヌ川に達した。さらにパリに進撃する構えであった。フランス政府は、九月三日、首府をパリからボルドーに移している。

この間、東部戦線ではロシア軍の進撃は予想以上に早くドイツ国境に到達した。かつて日露戦争で戦った二人の将軍、レンネンカンプ指揮する第一軍と、サゾーノフの第二軍とは、すでに八月十九日より進撃を開始し、東プロイセンを守るドイツ軍を退却に追い込んだ。そのためドイツ軍は、西部戦線にあった二個軍団を、ヒンデンブルクを司令官に、ルーデンドルフを参謀長に命じて新たに東部戦線に投じた。同月二十六日から始まったタンネンベルクの戦闘では、ドイツ軍大勝利となり、ロシア軍はほぼ全滅という結果となった。

他方、西部戦線では、九月初旬からフランス軍は主力を南から北に転じ、ドイツ軍と対決することになる。ためにドイツ軍は、同月四日、これまでの「シュリーフェン計画」を変更、第一、第二軍はパリに進撃するが、第三、四、五軍は、仏、英、ベルギー連合軍と対決することになった。これが九月五日から十二日にわたって行われたマルヌの戦いである。

八月十七日、ドイツ軍は約一万台の貨車に百五十万の兵、七十五万頭の馬を西部戦線に送った。これに対して連合軍は、フランス第一軍から第五軍まで、英国派遣軍十六万、ベルギー軍三十四万で、双方の兵力はほぼ互角であった。両軍の全面対決は、九月四日、フランスのジョッフル将軍が全戦線で大反撃に出たことによって始まった。これによってドイツ軍の前進は停止し、しかも右翼の第一、第二軍は窮地に陥った。しかも司令官フォン・モルトケが発病して、前線との連絡不十分となり、ドイツ軍は十日から十二日にかけてエーヌ川まで退却を余儀なくされた。これでマルヌの戦いは終了した。

その後は、双方の軍は塹壕を掘って対峙し、時おり突撃を試みては死傷者を出し、しかも持てる物量をあるだけ投入して、四年間を費やしたのである。

② ドイツの講和工作

ドイツの宰相ベートマン・ホルヴェークも、開戦にあたって「すべてを一掃する短い雷雨」とする短期決戦の勝利を信じていた。戦争は三カ月、長くても四カ月と考えていたのである。しかし開戦後、約四十日を経た九月十日のマルヌの戦闘の結果、もはやドイツの短期戦の勝利は期待はずれの幻想となった。もともとベートマン・ホルヴェークは国際政治の観点から、英国は八月四日にドイツに先んじて宣戦布告したものの、同国の伝統的な見解である勢力均衡や経済的な利害を考えて、対独戦は短期間で終わらせると見ていた。ところが、英国の戦争遂行の意志が強固なのを知ると、ドイツが不利でないうちに、「現状維持」の条件でも、戦争に終止符を打つべきであるとし、その「講和」は「できれば領土併合、しかし併合のために戦争終結の見通しがつかなくなるまで、戦争を続行すべきではない」との見解を抱いた。彼はまず、開戦後の八月十六日、リエージュの占領直後、ベルギーに対して和平交渉を行っているが、その拒否にあって後、一九一五年夏以後、再度の交渉に入っている。

この任務にあたったのは、エルツベルガーであった。彼はローマ教皇ベネディクト十五世と個人的に親しく、かつてのローマ教皇領の再建運動を行った経歴があった。そこでドイツ帝国政府は、彼を通じてローマ教皇に、ベルギーとの講和の用意があることを伝えた。この時、エルツベルガーの心中では、ベルギーがその領土を完全に保持し、その完全な主権を保持する内容を抱いていたが、ドイツ政府の真の要求は、ベルギーを事実上、ドイツの属国として処遇するもので、両国間の相互理解の可能性はあり得なかった。

エルツベルガーの政治的・組織的才能は、大戦勃発と共に新たな課題を請け負うことになった。宰相ベートマン・ホルヴェークの要請に応じて、彼は「帝国海軍情報局」を、次いで「対外情報局」を創設した。この任務はドイツの政治的立場を、中立諸国をはじめ広く海外に理解させることにあった。彼は数多くの海外旅行を行い、ことに中欧のカトリックの諸国をドイツの側につなぎとめるために最大の努力を払った。その際、彼が用いる標語は「神と共に、またすべての世界と共に」であった。

ただ三国同盟側にあったイタリアが離反していくのを止めることは、ついにできなかった。この国はオーストリア＝ハンガリーと領土をめぐって激しく対立しており、それにつけ入って連合国は、イタリアを誘引してオーストリア＝ハンガリーと戦わせるように秘かに工作し、代償として、ドイツ側についていたトルコの領土までイタリアに分配する密約をも与えていた。ドイツはマルヌの戦闘以来、戦局不振のため、イタリアの向背を憂慮し、一九一四年十二月、すでに元宰相フォン・ビューローを駐イタリア大使に任じ、さらに一九一五年に入ると、エルツベルガーを同国に派遣して工作させたが、イタリアは同年五月三日、三国同盟脱退を宣言し、二十三日にはオーストリア＝ハンガリーに宣戦布告するまでになった。この離反は、「神聖なエゴイズム」と称され、国益は国際信義より優先することが世界に示されたのである。

エルツベルガーは、また東部戦線におけるドイツの具体的な戦争目的の達成をも考えていた。一九一六年秋の構想によると、ロシアの支配地からポーランドを主権国家として独立させ、バルト地方のうち、リトアニアは公国としてドイツに編入、クールランドとエストニアはドイツ領とするというのである。さらに同年四月からロシアと単独和平交渉の打診を行っていた。ロシアでは、すでに革命勃発の恐れがあったが、一九一七年三月二十六日、エルツベルガーは、ストックホルムにあってロシアの国家顧問官コルイシュコと三日間にわたって会談している。彼はドイツ側の見解として、政治的、軍事的な一大帝国としてのロシアを否認するような和平を考えていないことを伝えた。だがエルツベルガーの意図は、ドイツ軍部および皇帝によって怒りと共に否定された。

③　再び陣地戦から決戦へ

一九一五年八月以降、西部戦線では互いに塹壕から睨み合っているばかりではなく、双方とも、敵の陣地突破を試みるようになる。その成功のため毒ガスも使用された。ことに一九一六年二月末から十カ月にわたって展開したヴェルダンの戦闘では、ドイツ軍は五十個師団、百万の兵、三千三百の大砲をもって最後の決戦勝利に臨んだ。この戦闘はフランス軍が攻勢に転じる先に、物量作戦によってフランス軍に人的損害を与え、ドイツ軍の勝利を決定する目的で行われた。この人的損害は、仏軍三十五万、独軍三十三万五千と、共に大きな犠牲があったが、仏軍は守り切り、しかも同年六月から十一月にかけて、英国からの戦車、飛行機を加えて大反撃に出た。この戦闘での損害は、独軍四十万、仏軍二十万、英軍四十万と、まさに近代物量戦の悲劇と言うべきものであった。

ヴェルダンでの戦闘と同時に、英独間では海上でも決戦が展開された。一九一六年五月末から六月にかけて、ジェリコー提督率いる英国艦隊三十七隻とシェーア提督の二十一隻のドイツ艦隊とが激突した。スカゲラク海戦である。この勝敗はドイツにやや分ありと見られたが勝負はつかず、英国艦隊はなお海上封鎖によってドイツ経済を圧迫した。ドイツの政府も軍部も、短期決戦による勝利を目指しており、長期戦の備えはなく、そのため国民経済は次第に窮迫し、日常のパンも切符制にすらなった。そこから国民の間には次第に厭戦、反戦の気分が生じるようになる。ドイツの国民生活の困窮の原因は、英国海軍による海上封鎖にあったから、ドイツ海軍は、陸のヴェルダンの戦闘と並行して、海上での無制限潜水艦作戦を断行するに決した。

戦争が長期化し、消耗戦の様相を呈することは、ドイツにとって不利なことは明らかで、宰相ベートマン・ホルヴェークも、開戦後初めての冬が明けた一九一五年四月から和平への道を模索し始めている。このような路線にとっての障害は、どの国においても軍部であるように思われる。一九一六年ファルケンハインに代わって、ヒンデンブルクが参謀総長に、第一兵站総監にルーデンドルフが任命され、ここに第三次最高統帥部が成立した。彼らタンネンベルクの勝利の英雄にとっては、栄光ある勝利の講和しか意中になく、しかも政府、議会の存在をも無視する軍事独裁が開始されたのである。

④　米国ウィルソン大統領の仲介提案

一九一七年に入ると、大戦には厳正中立を保ってきた米国の動向にも大きな変化が生じた。大統領ウィルソンは、開戦後一年目において、米国の中立は米国人にとっても、人類にとっても正しいとしていた。また彼は中立の立場から、早くから和平の意志をもち、一九一五年二月から三月にかけて特使ハウス大佐をロンドン、ベルリン、パリに派遣したが成果なく、その試みは翌年末までなすところなく終わっている。一九一五年五月七日商船ルシタニア号が撃沈され、乗船していた米国市民百十八人が死んだ。これによって米国の世論は沸騰し、ドイツとの国交断絶が要求された。この中立侵犯に対してウィルソンもドイツに厳重な抗議文を突きつけている。ドイツ政府は米国が連合国側に加担するのを恐れ、一時、潜水艦作戦を中止して、米国の参戦を避けようとした。ドイツの言い分によると、かの潜水艦作戦は英国に対するのみで、むしろ米国から英国に圧力をかけて、ドイツに対する経済封鎖を解除するように希望している。

ウィルソン大統領は、一九一六年五月二十七日、米国平和連盟で演説し、全面講和のため、仲介の意志を発表した。これはドイツ宰相ベートマン・ホルヴェークの平和意向と一致するものである。同年六月以降、戦局はドイツにとって悪化しつつあった。ベートマン・ホルヴェークとドイツ軍部は、全面講和への動きは促進すべきであるが、ウィルソン大統領が提示する具体的提案に従うことは、ドイツにとって不利となるから、代わって米国のイニシアティブによって、全交戦国を和平のための会談の席に連れ出すに限ると考えた。その後、ウィルソンの和平努力は、大統領選挙のため一時停止したが、一九一六年十一月七日、再選されると再び活発となった。

同年十一月二十一日、オーストリアのフランツ・ヨーゼフ一世が死去、後継者に甥のカールが即位した。彼の帝妃ツィタはブルボン＝パルマ公国出身なので、この新皇帝夫妻は、オーストリア＝ハンガリー二重帝国のため、講和へと動き出した。十二月十二日、ドイツ帝国は、米国に先んじて和平を宣言し、連合国に米国を介しての提案を行った。その際、ドイツは提案内容をはっきり明言しなかったので、三十日、連合国はこれを拒否した。英国首相ロイド・ジョージは、一九一六年九月に内閣で述べた「ノックアウト宣言」に固執し、そのため同盟国側と合意の和平が意中にあるエドワード・グレイすらも、プロイセン軍国主義がなくならない限り、戦争終結は有り得ないと宣言した。またフランス首相ブリアンは、自由が侵されている現実の前では、平和を口にすることは、むしろ冒瀆であると述べていた。

それにもかかわらず、十二月二十一日、ウィルソン大統領は、全交戦国、中立国に、各国の和平条件と要求事項を求める意見交換の覚書を発表した。ドイツ、オーストリアは二十六日、これに賛成し、講和会議の開催を提案した。ところが一九一七年一月九日、上シレジアにあったドイツ大本営は、無制限潜水艦作戦の再開を決定し、皇帝もこれに賛成している。宰相ベートマン・ホルヴェークは、米国の参戦を招くと反対意見であったが、軍部は、この作戦によって英国は六カ月以内に敗れるとし、これ以外に勝利の手はなく、「最後の切り札」としてこの作戦に踏み切った。

翌日の十日、連合国側はウィルソンの平和提案に条件付きで賛意を表し、初めて彼らの追求する戦争目的を公開した。それによると、ベルギー、セルビア、モンテネグロの再興・独立、同盟国軍のすべての占領地からの撤退（賠償請求）、民族原理によるヨーロッパの新秩序、イタリア人、南スラヴ人、ルーマニア人、チェコスロヴァキア人の外国支配からの解放、オスマン・トルコの支配をヨーロッパから追放、ロシア領内におけるポーランド人の自治などであった。ウィルソン大統領は、この広範な厳しいと思われる条件を緩和しようと努めると同時に、同盟国側にも、その平和条件を示すように求めている。

一月二十二日、ウィルソンは上院において「勝利なき平和」を求める演説を行ったが、これに対してドイツ政府は、三十一日、英国の国際法違反の経済封鎖に対抗するため、二月一日より、無制限潜水艦作戦の実施を予告した。これに怒った米国は、三日ドイツとの国交を断絶し、ラテンアメリカ諸国もこれに従った。その後、米国の世論は、対独宣戦布告を強く訴えていたが、四月、英国の情報機関が、ドイツ外務省発メキシコ駐在ドイツ公使宛の秘密電文を解読した。この「ツィンメルマン覚書」の内容は、メキシコがドイツと同盟関係に入れば、その勝利の後、テキサス、ニューメキシコ、アリゾナは、メキシコに割譲されるというものであった。この事件を機に、ウィルソンもついにドイツとの戦争を決意し、四月六日、合衆国の対独宣戦布告となった。連合国と同盟国との妥協を求めて苦悩していたウィルソンも、この時、ドイツとの戦いは、正義、平和、文明のため、人間の愚かさに対する十字軍であると宣言した。

⑤　一九一七年のドイツ国内事情

一九一七年のドイツでは、国内政治の民主的改革を求める闘争が激化してきた。この冬、ドイツ国民は物資欠乏や食料不足に悩んでいた。ロシア革命の勃発や米国の対独宣戦布告も、ドイツ人にとってまさに不吉な兆候であった。そこで彼らの間では、一致協力した戦争遂行の意欲が薄らいできたのである。ドイツ人は、今こそ戦争が終了して欲しい、そのため海軍が六カ月以内に潜水艦作戦で英国を屈服させるという公約に望みをつないでいた。事実、英国側も大きな不安を抱いていたし、船舶の喪失も大きな痛手であった。だが英国はこれに耐え、夏になるとかえって戦意は高揚して、試練を乗り切れるかに見えた。

三月四日、宰相ベートマン・ホルヴェークは国会において、「ドイツの将来のために広く国民大衆に政治的権利を与え、それによって彼らが十分な権利を持ちつつ積極的に国家に協力できるようになることが必要である」と説いたが、現政権を支える保守派は全くこれを無視した。しかし同日、ロシア革命の第一報がドイツに届くと、もはや、これまでの非民主的改革では危険であると多くの者が考えるようになった。民主的改革は、選挙法において、平等、直接、非公開方式を導入することであった。皇帝ヴィルヘルム二世も、趨勢に押されて、四月七日、復活祭布告を発し、プロイセン三級選挙法の改正を告げたが、そこには平等選挙法は含まれていなかった。

このような状況の下、四月九日から三日間にわたってゴータで開催された社会民主党大会において、党内の左派の人々は、脱退して独立社会民主党を結成し、戦争遂行に反対する闘争を行うことになる。

一九一七年には、エルツベルガーの戦争観に一八〇度の転換が生じた。この年の春、彼は国民自由党の代議士リヒトホーフェンと共に、東部戦線の視察に赴き、東部軍司令部の参謀長ホフマンから戦況の真相を聞くことができた。それはドイツ軍にとって、もはや抜き差しならぬ羽目になっているというのである。ホフマンは、当時のドイツ陸軍にあって傑出した戦略家であった。彼は、かのタンネンベルクの戦闘において、ヒンデンブルク司令官、ルーデンドルフ参謀長の下で、第八軍参謀として作戦立案を担当したが、この大勝の真の功績は彼にあったのである。また日露戦争の際に、彼は日本軍の観戦武官の一人として派遣され、近代戦を体験すると共に、沙河会戦以降、軍団長レンネンカンプ、サムソーノフの指揮するロシア軍の行動や、二人の指揮官の心理的要素をも考慮に入れ、タンネンベルクでは、再び登場したこの二人の将軍が指揮する軍団を全滅させた。ホフマンに会ったのち、エルツベルガーは、戦争終結が遅くなって、ドイツに大破局が訪れる前に、できるだけ早く講和に導くべきだと信じた。これは、当時の国民大衆、特に社会民主党系の労働者の希望と一致するものであった。

七月六日、エルツベルガーは帝国議会の委員会で、和平を求める爆弾演説を行った。まず彼は、無制限潜水艦作戦の失敗を指摘し、この作戦を頼みとして戦争を続行している政府は、今後議会の信任を期待できないと弾劾した。そして国民の一致団結を取り戻すためには、再び一九一四年八月四日の政策、すなわち純粋の防衛戦に立ち戻らねばならず、また帝国議会は、諸国民への強制的圧力を加えず、領土併合のない和解のために努力することを、政府に求めねばならない。議会のこのような声明こそ、平和への最善の道である、と。このエルツベルガーの背後には、中央党、社会民主党と共に、進歩人民党も加わっていた。のちのワイマール共和国を支える三党による「ワイマール連合」の基礎は、この時できあがったのである。

それゆえ、エルツベルガーの演説は革命的行為であり、一九一七年七月六日こそ、帝政ドイツに代わって共和国の礎石が置かれたのであると、『ワイマール共和国史』の著者ローゼンベルクは指摘している。

エルツベルガーの爆弾演説は、時の政府、宰相ベートマン・ホルヴェーク及び内相ヘルフェリヒに向けられていたが、現実には、独裁者ルーデンドルフ、つまり陸軍最高統帥部を批判するものであった。だがエルツベルガーが、この真の敵をはっきり名指しせず、二、三の暗示を与えたにすぎなかったのは、大きな失敗であった。彼は国会で多数派を作り、ベートマン・ホルヴェークに代えて、より強力な宰相を置き、軍部を抑えようと考えていた。その適任な人物にフォン・ビューローが念頭にあったが、任命権のある皇帝ヴィルヘルム二世は、ビューローを嫌っていたから問題にならなかった。他方ルーデンドルフも反撃に転じ、最高統帥部の意のままになる人物を宰相の地位に就けようとした。

宰相ベートマン・ホルヴェークが辞職したのは、七月十三日である。辞職に追い込んだのは、国会と最高統帥部とであった。その後、両者は改めて異なった目標を求めて争った。つまり、ドイツの未来を民主制にするか独裁制のままにするかであった。ドイツ皇帝が次の宰相に任命したのは、政治家として無名の新人ゲオルク・ミヒャエリスであった。彼はプロイセンの財務次官・全国食糧委員で、宰相の器かどうかは全く未知数であった。

ヴィルヘルム二世は、ミヒャエリスを初めて謁見した際、現在の政治情勢を説明した。すなわち、中央党のエルツベルガーをはじめとする反ベートマン・ホルヴェークの運動や国会の平和運動が、現在の戦況にふさわしくないドイツの弱点をさらけ出し、国会が求めているものとは反対の結果を生み、国家の危機が生じた、と。皇帝はミヒャエリスに、この紛糾からの脱出に成功するように求めた。皇帝がエルツベルガーの行動に対し、頗る怒ったことは、一九一八年四月の彼のメモに、エルツベルガーを「卑怯な裏切り者」、「詐欺師」、「帝室の敵」と記していることからも判る。

帝国議会の多数派は、「平和決議」の公表を準備していた。中央党、社会民主党、進歩人民党によって明文化された決議文は、穏健な内容のものであった。すなわち、

「ドイツが武器を取ったのは、ドイツ民族の自由・独立を守るため、現有領土の不可侵のためである。帝国議会は、相互理解と諸民族の和解の講和を求めている。かかる講和と強制的な領土の獲得や政治・経済・財政上の抑圧とは一致しない。帝国議会は、戦後、経済封鎖、諸国民の敵対的行動を促すすべての計画を拒否する。経済的平和のみが、諸国民の友好的共存の道を開くであろう。帝国議会は、国際的組織の設立を促進する。とはいえ、敵国政府がかかる平和を求めず、ドイツと同盟国に征服と抑圧をもって脅迫する限り、ドイツ民族は一致団結して不屈の闘志をもって戦う」。

この決議文は七月一日に公表された。これを読むと、議会も平和を望んでいるが、いかに戦況がドイツにとって不利であろうとも、連合国と互角の講和を求めており、ドイツが降伏するような内容の和平は全く意中にないことが判る。それから三日後、新宰相ミヒャエリスの初の就任演説があった。彼は議会多数派の「和平決議」を、自身が解釈するような形で、その実施を計ると言い、国政の民主化、つまり議院内閣制への移行は全く考えていないことを明らかにした。以後、直ちに議会の新宰相への不信感は増大していき、彼も辞任に追いやられるのである。

他方、大戦前からの平和運動家でスイスに亡命中のF・W・フェルスター、A・フリートと、ドイツ国内で平和を求めて運動していた人々とが合同して、一九一七年十一月、スイスのベルンで国際平和会議が開かれた。ドイツから参加した人々には、平和運動家のヴァルター・シュッキング、L・クヴィッテ、国際法学者のテオドール・ニーマイヤー、ロバート・ピロティーらと共に、国会議員の中から、中央党のエルツベルガー、独立社会民主党のE・ベルンシュタイン、社会民主党のG・ゴータイン、国民自由党のA・ブルンクがいた。つまり、国会の「平和決議」に賛成した党の代表が、こぞってスイスに赴いたのである。この中立国スイスでの会議は、平和運動の国際的連携を求める目的をもっていた。大戦勃発直前まで、ドイツとフランスの平和運動家たちは、戦争を回避しようとして失敗した。それは連合国側からは一人の参加もなかったからである。講和を求めての和解は、一九一七年の時点では、国家間においては不可能であることが示された。また交戦中の各国に存在する平和主義団体間の対話も生じなかったのである。

⑥　ドイツの敗戦

一九一八年に入ると、米国大統領ウィルソンは一月八日、全面講和のための原則として「十四カ条」を発表した。そこには秘密外交の廃止、海洋の自由、国際連盟の創設などと共に、ドイツにとって重要な条項として、ベルギーの独立再興、ドイツ領アルザス・ロレーヌの返還が含まれていた。二月になると、ドイツなど同盟国とウクライナとの間に「パンの平和」と称する講和条約が結ばれ、ウクライナの国家承認の見返りとして、同地から穀物がドイツ、オーストリアに給与された。そして三月三日、独露間にブレストリトフスク条約が締結された。これによって、東部戦線での戦闘が停止されたのを機に、ドイツ軍部は、直ちに西部戦線において大攻勢を敢行し、最後の勝利に賭けることになった。三月から四カ月にわたる戦闘で、ドイツ軍は若干の陣地拡大をもたらしたものの、決定的な戦線突破はできなかった。他方、七月十八日より、連合国軍は、フランスのフォッシュ元帥の下で、反攻に転じ、八月八日のアミアンの戦闘では、英軍戦車四百五十台による攻撃によって、ドイツ軍は「暗黒の日」とされる大敗北を余儀なくされた。八月十四日、ドイツ軍最高統帥部は、ベルギーのスパーにある大本営において、戦闘続行の見込みなく、中立国オランダ女王に和平仲介を依頼するように求めた。戦闘がますます絶望的となった九月二十九日、最高統帥部のヒンデンブルク、ルーデンドルフは、即刻の休戦を提案した。翌日、宰相ヘルトリングは辞任し、バーデン公マックスがこれに代わり、初めて国会内の多数派政党（社会民主党、中央党、国民自由党左派）による内閣が成立した。

一九一八年九月、エルツベルガーは『国際連盟、世界平和への道』と題する著書をベルリンで出版した。これは五万部も印刷されたが、彼はこの著の序文で、一九一七年七月十九日の帝国議会の「和平決議」は、「諸国民の理解と持続的和解の平和」を求めると記しているから、これはまさに国際連盟を創設しようとの誓いであると説く。彼はこの時、大戦終了後にあっても、ドイツが連合諸国と同等の国家として、新たな国際社会の一員となること、そしてまた、ドイツが苛酷な条件から免れたいという希望を込めていた。

十月三日、ドイツ政府は米国大統領ウィルソン宛に、かの十四カ条の条件による休戦を申し出た。その後、両国間に覚書が交換されたが、そこで明らかになったのは、連合国側の諸条件を、ドイツが異議なく受け入れること、さらにウィルソンは間接的な表現ながら、皇帝ヴィルヘルム二世の退位を求めていることであった。事実上の無条件降伏と受け取ったドイツ軍部は、絶望的な状況にもかかわらず、軍事抵抗の継続を試み、宰相マックスも同調して「国民的抵抗」を考えた。だがこれには、国会内の多数派政党よりなる内閣の頑強な反対にあった。十月二十四日の閣議で、無任所相エルツベルガーは、中央党代議士会は、「全員一致して国家防衛に反対した」と報告している。同月二十六日、ついにルーデンドルフが失脚し、翌日オーストリアが休戦講和を要求すると、ドイツも連合国の要求を受け入れるほかなくなった。しかし、ウイルソンの覚書に対する宰相マックスの十月二十七日の回答は、その無条件受容を明言しながら、「降伏」の表現を用いることはなかった。二十八日、ドイツ海軍兵士の暴動が始まり、十一月三日のキール軍港の大反乱、十一月七日ミュンヘン、九日ベルリンで革命が勃発した。この日、宰相マックスは、皇帝退位の発表を行うと共に辞職し、社会民主党のエーベルトが後任の地位についた。翌日、ヴィルヘルム二世はオランダに亡命している。

米国大統領ウィルソンの最後の覚書は、ドイツの休戦委員を、連合国代表フォッシュ元帥が接見し、休戦条件を伝えるというものであった。これは連合国の発した休戦命令であり、その目的はドイツがすでに認めている条件（十四カ条）の強制であった。だが連合国側にもこの十四カ条を守ることが義務づけられていた。そこで読まれる文言は、純粋の軍事降伏ではなく、休戦交渉と次に生じる講和の予備交渉であると考えられた。この休戦条約委員に、連合国側は、最高司令官フォッシュ元帥が出席する以上、ドイツ側も軍部を代表してヒンデンブルク元帥が出席するものと思われたが、この休戦条約文書の調印にとどまらないという理由から、委員は軍人のみでなく、文民と軍人との混合が適当ということになった。そこで国会議員で早くから和平を唱え、現在無任所相のエルツベルガーが選ばれた。彼はこの恐るべき任務を進んで引き受けたのではなく、初めは抵抗した。しかしこの主席全権は、旧帝政ドイツを代表せず、新しい民主的ドイツを代表するエルツベルガーが適任という理屈がつけられた。ほかに委員として赴いたのは、外務省からオーベンドルフ伯、それに大本営の二人の将校が随員として従っていた。

十一月八日から十一日まで、フランスのコンピエーニュの森の客車の中で開かれた休戦交渉においては、ドイツ側にとって厳しい条件のうち、ごく僅かな部分が修正できたのみであった。首席のエルツベルガーは、恥ずべき条約調印の責任を負わされた。他方、当然ドイツ側代表として出席すべきヒンデンブルク元帥の名誉は全く傷つくことなく、のちにはワイマール共和国の大統領に選出されることになった。これは、エルツベルガーにとっての悲劇のみならず、ドイツにとっての悲劇が待ち受けていたと言うべきであろう。

⑦　ワイマール共和国の閣僚としてのエルツベルガー

エルツベルガーが休戦条約のため、ベルリン不在中に、ドイツ政治の大変革が生じていた。十一月九日、多数派社会党のシャイデマンが帝政に代わってドイツ共和国の成立を宣言したのである。エルツベルガーは共和主義者ではなかったが、ここに生じた新しい状況に順応することができ、古くからの政党である中央党を、いかに改編していくかを問題とした。

一九一九年に入ると、共産党、独立社会民主党、金属労働者からなるオップロイテ（指導者）は、ゼネスト、街頭闘争によって政権を奪取しようと試みたが、多数派社会党は、穏健な改革を支持する中央党、進歩党と共に、旧軍隊の武力を借りて、政権を維持することができた。一月十九日、国民議会の総選挙が実施され、議会制民主主義の共和国が承認された。二月十一日、ワイマールに国民議会が開かれ、エーベルトが初代大統領に選ばれた。同月十三日、社会民主党、民主党、中央党による連立内閣が生まれ、シャイデマンが首相になった。エルツベルガーは無任所相として入閣した。

新内閣は、講和条約の問題に取り組んだ。これまでの慣習によれば、日露戦争後のポーツマス会議のように、両交戦国の代表が一堂に会し、幾多の折衝の後に、条約が締結されるのであったが、この講和条約では、そのようなことは許されず、敗戦国ドイツは除外されて、戦勝国のみが条件を決定した。しかもその条件は、米国大統領ウィルソンの十四カ条の内容より、はるかに苛酷なものとなった。一九一九年四月二十九日、パリに到着したドイツの主席全権外相ブロックドルフ・ランツァウは、五月七日、連合国の決定した講和条件を受け取った。その厳しい内容に対し、彼は直ちに逐一反論を加え、ついに決裂を覚悟して、六月ドイツに帰った。

ドイツ国内でも、国民はこぞってこの条約の非を詰り、連合国を非難したが、ドイツが再び戦争を開始する力がない以上、その受諾はやむを得ないことであった。エルツベルガーは、その時、この屈辱的な講和受諾は不可避であるとし、これを緊急避難の行動と解釈して、六月三日の閣議では、次のように述べた。

「もし誰かが、私の手を縛り、胸にピストルを突きつけて、一片の書付に署名を求めたとしたら（そこには、四十八時間以内に、月に行ってよじ登れとある）、誰でも命を救うために署名するだろう」と。彼は、このヴェルサイユ条約の内容にある厳しい条件（天文学的数字の賠償金など）は、ドイツに初めから無理なことと予想していたのであろう。

あくまで条約反対のシャイデマン内閣は総辞職し、六月二十一日、代わって社会民主党、中央党よりなるグスタフ・バウアー内閣が成立した。エルツベルガーは、副首相兼財務相となった。二十三日、国民議会は二百三十七票対百三十八票で、条約を承認し、二十八日、ヘルマン・ミュラー外相はヴェルサイユ講和条約に調印した。

財務相としてエルツベルガーは、敗戦によって混乱したドイツ財政の再建のため、蛮勇を振るってその改革に乗り出した。それは、かつてドイツの統一を成し遂げたビスマルクすらできなかった改革であり、今日なお、それにはエルツベルガーの名が付与されている。彼は、一九一九年七月八日の国会演説において、今、国家がいかに克服しがたい状態にあるかを説いた。そこで発表したのは、これまで徴税の主体が、各邦国（州）や地方自治体にあったのを、国に集中化することであった。かくしてすべての直接税（所得税、財産税など）は、国家がこれを行うようになる。これは新しい共和国の中央集権主義の成功を示すものであり、かつての地方分権への復帰はもはや不可能になった。またこの時、断行された鉄道の国有化も、彼の功績の一つである。さらに彼がやむを得ず、実施せざるを得なかったのは、財産及び所得に対する課税の増加である。この増税の対象とされた比較的富裕な階層が、これによって新共和国や財務相への支持を弱めたことは容易に考えられる。この租税収入が賠償金となって旧敵国にわたるのだという扇動もあって、増税反対ないしエルツベルガー非難が煽られた。また国家中央集権主義に反対の南ドイツ地方は、エルツベルガーと衝突し、そのため一九二〇年、バイエルンの中央党は離党して、バイエルン人民党を結成するほどになった。

⑧　国民議会の敗戦調査委員会

大戦後のドイツは、革命によって帝政が打倒され共和国となった。敗戦の結果生じた社会的、経済的混乱は、ドイツ人の一人一人に身に染みて感じられた。だが、第二次世界大戦後のドイツと違って、ドイツ全土はほとんど侵されることなく、連合国軍の姿を見たのはラインランドのみであり、復員軍人たちも敗残兵のように打ちしおれてではなく、堂々と胸を張って帰国し、エーベルト大統領もこれをねぎらった。つまり、多くのドイツ人は、祖国は戦闘によって敗北したのだという実感を持たなかったのである。そこで、彼らはなぜドイツは敗れたのか？　しかもなぜ、かくも屈辱的な条約を強いられたのか？　このような戦争は避けられなかったのか？　もっと早く、ドイツにとって有利な和平はあり得なかったのか？　この敗北の責任者は誰と誰か？　など疑問は次々と生じたのである。

一九一九年六月二十八日のヴェルサイユ条約の調印直後、右翼のドイツ国家人民党は、一九一七年七月に平和決議を行った帝国議会多数派と、これを母体として成立した、革命後のドイツ政府に責任を負わせ、ことに一九一七年の「平和決議」に先立つ七月四日、エルツベルガーが、国会でドイツの窮状を暴露して、和解の平和を訴える演説を行い、これが連合国の戦争遂行の意志を固め、ドイツの敗北を促進させた、と糾弾した。これに対してエルツベルガーも反撃に転じ、敗戦の責任は、むしろ戦時中の右翼政党と最高軍司令部にありとした。さらに彼は、一九一七年八月一日のローマ教皇ベネディクト十五世の平和アピールと、それに続くヴァチカンを仲介者とする英国への和平工作の存在を強調した。ドイツ帝国政府は、その回答を七週間も引き延ばした上、しかもその内容は拒否的であったから、この工作は挫折したのである、と。エルツベルガーは言う。「ドイツ国民は誤れる指導の下にあった。彼らはこのことを知っていたら、必ず平和を強要したであろう」と。エルツベルガーのこの暴露に、ドイツ人は強い衝撃を受けた。

⑨ エルツベルガーの死、その評価

この後、エルツベルガーにとって生涯の不倶戴天の政敵カール・ヘルフェリヒとの決闘の場面が現出した。ヘルフェリヒは、一九一九年著書『世界戦争』の中で、「当時、エルツベルガーの行動が、初めから、かつ唯一、この戦争で、敵の和解による平和への準備を破壊したことは、のちになって明らかになった。」「帝国議会におけるエルツベルガーの行動によって、敵方は、今まで勝利について動揺していたのに、中欧諸国（オーストリア＝ハンガリー）が崩壊の危機にあることを知り、嬉しい確信を抱いた。それゆえ、彼ら（ドイツ）と取引する必要なく、協商国の完全な勝利が間もなく来ると信じるに至ったのである。」と記した。エルツベルガーこそ、ドイツの敗北の元凶だと告発したのである。

エルツベルガーも黙っていなかった。直ちに反撃に移った。この犬猿の仲を、いっそう悪化させたのは、彼が財務相として国民議会で、ヘルフェリヒを「あらゆる財務相の中で、最も軽佻浮薄だった」と公言したことであった。ヘルフェリヒも「クロイツ新聞」に激しい非難の論文を載せ、さらに「エルツベルガーよ、去れ！」という小冊子も刊行した。彼は政策問題に反論するだけでなく、エルツベルガーの無私誠実という性格にも非難を加え、「政治と金銭欲の不潔な混合物」と呼んで個人攻撃をも行った。ヘルフェリヒの意図するところは、エルツベルガーが裁判に持ち込むことにあった。一九二〇年一月十九日、旧ドイツ帝国と新ワイマール共和国の両財務相が、ベルリンの刑事法廷で対決したのである。

ヘルフェリヒは、ベルリンの極めて優秀かつ老練な弁護士マックス・アルスベルクを雇用して、裁判を有利に展開させた。また多くの傍聴人もヘリフェリヒの要請に応じて、無報酬で法廷に出席し、エルツベルガーへの嫌悪の雰囲気を醸し出すことに成功した。かくしてエルツベルガーは、和平決議によってドイツ軍を背後から襲った人間、休戦条約に調印して屈辱的な降伏を実現した責任者、さらにヴェルサイユ条約を主張したゆえに、同条約の責任者との印象が人々の心に焼きつけられたのである。

この法廷においてエルツベルガーの暗殺未遂事件が起きた。一月二十六日、元士官候補生のヒルシュフェルトという二十歳の男が、エルツベルガーに拳銃を発射して肩に傷を負わせた。エルツベルガーは、傷の手当てを受け、数日後に法廷に出廷した。一方、狙撃犯人の男は二月二十二日、陪審員の判決により、殺人未遂ではなく、単なる傷害罪とされ、一年半の懲役刑に処せられるにとどまった。

ここで注目されるのは、判決を下した裁判官の資質である。ワイマール共和国になっても、彼らの多くは、帝政時代の価値観や保守的思想を持ち続け、それゆえ、新しい共和国の体制に疑問を感じていた。そこで彼らは多くの判決の中で、共和国とその担い手への嫌悪感を公然と示したのであった。

エルツベルガーは、一九二〇年三月十二日の敗訴の後、財務相を辞任した。しかし六月の国会議員選挙には立候補し、圧倒的な支持を受けて当選した。彼はその後、妻と末娘を連れてシュヴァルツヴァルトの保養地で過ごした（長女は、その数カ月前、オランダのカルメル修道院に入っていた）。八月フランクフルトでのカトリック大会に出席した際、政界カムバックを明言している。エルツベルガーは、なお右翼に狙われていた。殺される五日前、中央党員で旧友の弁護士フーゴー・パウルは、保養地グリースバッハにあった彼を訪ね、暗殺される危険を警告している。その時、エルツベルガーは、「その覚悟はできている。我々は皆、神の手の中にあるのだ」と答えたという。八月二十六日、エルツベルガーは、フランクフルトへ旅立つ前夜、バーデン出身の中央党員カール・デイーツと共に、グリースバッハ近くのクリーピスの山麓で、銃弾十二発を撃ち込まれて殺された。犯人は極右の秘密組織「ゲルマン騎士団」に属していた元海軍将校のハインリヒ・シュルツとハインリヒ・ティレッセンの二人であった。彼らは一九二〇年三月のカップ一揆にも参加し、その後ミュンヘンに行き、この組織に入ったのである。犯人はハンガリーに逃れ、一九三三年ナチスが政権を取ると帰国した。二人は第二次世界大戦後の一九四七年と一九五〇年に起訴されたが、軽い刑で済んでいる。

エルツベルガーの死について、極右の雑誌『クローネ』は、「悪徳の共和国は手ひどい損害を被った。刑法上の裏切り者アイスナー、ハーゼ、リープクネヒト、ローザ・ルクセンブルクが死んだ後、同じく刑法上の裏切り者、かつ人民に対するより悪しき裏切り者のエルツベルガーが死んだ。国賊が撃たれて死んだのは幸運、むしろ反逆罪で死刑とすべきだった」と悪口雑言をぶち上げている。他方、ワイマール共和国を支持する社会民主党の人々は、エルツベルガーの暗殺に抗議して、三十一日の葬儀の日には、「民主主義と労働者を守れ」のスローガンの下、約五百万人の大衆デモが展開された。

教皇ベネディクト十五世は、総理枢機卿をエルツベルガーの未亡人のもとに派遣して弔問させた。エルツベルガーの親友で中央党員のヨーゼフ・ヨースは、「彼の死は、右翼が起こした彼に対する闘争によって生じた、高まりつつある日々の恐るべき終末であった」と記している。

クラウス・エップシュタインは、エルツベルガーの伝記の中で、「この百年において、マティアス・エルツベルガーほど憎まれた人物はいない。このことこそ、彼の政治生活を特色づけるものである」と記している。彼は、ドイツ帝国議会議員の中で、例外的に大学出身ではなかった。しかもカトリック信仰を共有する中央党において、驚くべき政治的上昇を遂げた。彼は、一九〇六年の国会解散、一九一七年七月の国会和平決議、一九一八年十一月の休戦条約調印、一九一九年六月のヴェルサイユ条約を積極的に支持し、一九一九年から二〇年にかけての財政改革というドイツ史にとっての重大な事件に直接関わったことで著名になった。しかもワイマール共和国を必死に支えようと努力したため、右翼政党からは、この新生共和国の最も「負」の象徴とされ、ついに極右の青年によって暗殺されるに至ったのである。

エルツベルガーは政治家として、行動力に富み、弁舌に優れた人物であった。だが彼は首尾一貫した理念の人ではなかった。それゆえ、決定的な問題に際して、誤った判断を下すこともあった。しかし彼はその場合、事態の現実的意味を感じとり、その事態から何らかの方法で可能なものを取り出すという比類のない才能を有していた。しかも一九一七年のドイツの状況を直視すると、いったん正しいと判断した上は、万難を排して勇気をもってあらゆる課題と取り組んだ。ことに教皇ベネディクト十五世の平和宣言によって、エルツベルガーはかつての「併合主義者」から確信的な「平和主義者」に移りかわったのである。このことによって、彼の確信は、たとえのちに家畜同然に殺されようとも、揺るがぬ殉教者の心境になっていたと言えよう。

10 「危機の二十年」(一九一九~一九三九)

ヴェルサイユ条約の締結から第二次世界大戦後の開幕までの二十年は、「危機の二十年」と呼ばれている。「危機」(crisis) は分かれ目を意味する言葉である。この「危機」はどうして生じたのであろうか。第一次世界大戦の悲劇を体験した人々には、世界は、ひたすら平和の道を歩んでいるように見えた。それは、講和条約の筆頭に掲げられた国際連盟や、その後の一九二二年のワシントン軍縮条約、一九二八年の不戦条約にも表現されていた。敗戦国ドイツに課せられた賠償責任も、米国からの「ドーズ案」、「ヤング案」などのてこ入れによって、またヨーロッパ大陸では、一強国の独占的支配を嫌う英国の思惑も手伝って、次第に解決に向かっていく。ヴェルサイユ条約において、最も苛酷な条件を敗戦国ドイツに強いたフランスも、次第に和解の道を辿り、一九二五年十月のロカルノ条約では、独仏間の友好関係が復活し、ドイツの国際連盟加入への道も開かれた。これによって、ドイツ外相シュトレーゼマン、フランス外相ポアンカレはノーベル平和賞を授与されている。また国内政治・社会においても、平和と安全を目的に、議会制民主主義が多くの国々で求められた。ワイマール共和国の憲法は、当時、世界で最も民主主義的な憲法と称えられたし、日本でも、普通選挙制の成立や議院内閣制など、平和と安全の道を歩んでいるように見えた。

だが一九二九年に起こった「世界恐慌」から事態は一変する。この時、「持てる国」と言われた当時の「大英帝国」と米国は、世界に広がる植民地からの支えによって、あるいは広大な土地と人民を再編成する「ニューディール政策」によって、その惨禍を最小限にとどめることができた。また「ソ連」と呼ばれていたロシアは、世界経済から外れた活動によって、この恐慌から免れていた。だが近代化が遅れ「持たざる国」と称された国々は、もはや時代遅れとなった十九世紀「帝国主義政策」の採用によって解決をはかろうとした。また、それらの政府はもはや民主主義を捨てていた。その国家とは、第二次世界大戦の主役を演じた日独伊の「枢軸国家」と、それに同調したスペインなどであった。

イタリアでは、第一次世界大戦後、新しい政治勢力ファシズムが登場する。その指導者はもと社会党員であったベニート・ムッソリーニであった。彼は、党の方針に反して、イタリアの大戦参加を主張して党を除名されたが、戦後、新しい組織「戦闘ファッシ」を旗揚げし、一九二一年十一月、ローマで「国家ファシスト党」を創造した。翌年十月二十八日、「ローマ進軍」を機に、国王より三十九歳の若さで首相に任ぜられると、翌年には、統領（ドーチェ）と称して独裁体制を確立した。彼は直ちに地中海の覇者を目指して、一九三五年、まずエチオピアに侵攻、今度は勝利して、翌年五月には自国の植民地とした。同年七月に始まったスペイン内戦に際しては、反政府側のフランコ将軍を支持し、英仏と対抗、ここにヒトラー・ドイツとの提携から、さらに日独伊三国同盟に進んでいくのである。

ドイツの場合は、ヒトラー政権への時代であるが、次章で詳述するのでここでは触れないが、ナチス第三帝国は、海外植民地獲得には関心なく、専らドイツ本国に隣接する地、特に東スラヴの地の奪取拡大に集中した。さらに全ヨーロッパに覇を称えるゲルマン民族による「一大帝国」の実現がヒトラーの目標であったのである。

日本の「危機の二十年」は、「大正デモクラシー」から、昭和の「日本軍国主義」への移行期にあたる。まず一九一九年一月、パリ講和会議に出席する全権委員に西園寺公望らが任命された。日本人は大戦後、五大強国の一国として誇るようになった。しかも同年五月には、旧ドイツ領の南洋群島の日本委任統治が実現した。事実上、領土が増えたのである。

だが他方、この大戦の末期、一九一八年から二二年までの「シベリア出兵」に際して、日本はここまでの近代史上、最大の汚点を残すことになった。その発端は、ロシア革命によって捕虜となっていたチェコスロバキア軍の兵士の救出を口実に、米・英・仏・伊の各国と共に日本軍も出兵して、同地で過激になりつつあるロシア革命に干渉した事件である。しかし、反革命のロシア軍が崩壊したため、日本軍以外の外国軍は撤退したが、日本軍は、満州、朝鮮の安全と現地の日本人保護を口実に、撤兵を行わず国際的な批判を招いた。その間、アムール川左岸の港湾都市ニコライエフスクでは、過激派ロシア人の「パルチザン」によって、同市に残留する日本軍及び在留日本人、約七百人全員が、同市に住む反革命のロシア人共々、一人残らず残酷に殺害され、町は焼き払われるという悲劇が起こった。

この衝撃的な事件に対して、当時の日本人は、比較的冷淡な態度を取った。明治維新以来、栄光に包まれた歩みに汚点を残したくないとの感情がそうさせたものと思われる。

そのほか、この戦後の日本社会には、多くの憂うべき要因が充満していた。大戦末期のドイツで短期間ながら、帝国宰相の地位にあったゲオルク・ミヒャエリスは、一八八五年（明治十八年）から四年間、東京の独逸学協会学校（獨協大学の前身）で教師をしていたが、大戦後、かつての教え子の招きで、一九二二年、三十五年ぶりに日本を訪問した。その時、彼は憂慮すべき日本の未来について、次のように語っている。

「私の日本の友人は将来を憂慮している。不自然に増大した産業、過密になった生産設備の転換がほとんど不可能なこと、生活設計の無理なねじ曲げ、労働者大衆の不満、戦時経済の結果、不健全になった財政、これらが戦争の勝利の結果なのだ。私も日本が重大な国内の動揺なしに疑いなく襲ってくる、この危機を乗り越えるとは思わない」

国家の近代化を大きく前進させた明治の時代から、大正の時代に入ると、自由平等の原則は、一九二五年の選挙法改正によってさらに進んだが、身分的不平等はなお存在していた。例えば戸籍謄本には、貴族、士族、平民の区別があり、貴族には「貴族院議員」として、参政の特権が認められていた。

一九二六年、昭和の時代になっても、「貧困」は大きな社会問題になっていた。筆者は昭和二年の生まれであるが、小学校時代の思い出に、教室で弁当を食べていると、女性の係の先生が入って来て、生徒の食べている弁当を調べた。当時、「欠食児童」と呼ばれ、貧困のため弁当を持ってこない子がいたのである。筆者の教室には、そのような児童はいなかったが、係の先生が、筆者の弁当をのぞいて「この子のおかずは栄養満点だ」と褒めたのを今も記憶している。

また都会の中流以上の家庭には、地方の農家出身の、現在では「お手伝いさん」と呼ばれる女中がいた。これも、農村の貧困ゆえの「口減らし」のためであった。さらにそれ以上に悲劇的な事実は、農家の「娘の身売り」が公然の事実であったことである。

右のような貧しい農村出身の兵士からなる軍隊で、中堅幹部として統率する一部の青年将校たちが、あえて社会問題に身を投じ、「五・一五」や「二・二六事件」のようなクーデターに走ったのである。

貧困は当然、都市労働者にも及んだ。ことに一九二〇年三月の株価暴落から起こった大戦後の大恐慌から、労働組合による大規模なストライキが続発した。一九一九年九月の川崎造船所の一万五千人のスト、翌年二月には八幡製鉄所、一九二一年七月の三菱造船所のストには、鎮圧の軍隊まで動員された。ストはその後も続いた。一九二六年の共同印刷スト、一九三〇年の鐘紡《カネボウ》スト、一九三四年の市電ストなどは、今日の歴史年表にその名をとどめている。

議会政治の発展にともなって、社会主義政党も出現した。さらにソヴィエト共産主義の影響は日本にも及び、一九二二年、非合法ながら日本共産党も結成された。ロシアでは共産党政権によって、元皇帝はじめロマノフ王朝の全員が残酷に処刑された事実から、日本共産党は、「大日本帝国憲法」に規定された「天皇制」を否定する存在として、合法的な政党にはなり得なかった。しかしロシア帝国に代わった共産党独裁下のソヴィエト連邦が国際的に承認されると、一九二五年一月には、日ソ間の国交が回復した。だがこの翌月、議会では「治安維持法」が可決され、それによって、現「大日本帝国憲法」に抵触する運動は、極左極右にかかわらず非合法化されたのである。

議会政治の発展は、大正から昭和への移行期に、政友会と民政党による二大政党を産んだ。政友会総裁には原敬、高橋是清、民政党総裁には浜口雄幸と、この時代を代表する政治家の活躍が歴史に記録されるが、この政治家がいずれもテロの犠牲になったことは、当時の日本の議会政治の未成熟を象徴しているように見える。

貧困は、「移民政策」とも関連していた。日本の人口は明治初期までは、約三千万で大きく動かなかったが、その後は急上昇して一九二〇年代には、六千万を数えるに至った。四つの列島では到底国民を養えないため、移民はその解決のために必要な手段とされた。移民の行く先は、ハワイが最初であったが、その後、北米、ブラジル、ペルー、パラグアイなどに広まった。このうち北米は、理想の移住地と目されたが、現地米国人との間に対立が生じ、一九二〇年のカリフォルニアの「排日土地法」以後、日米関係に暗い影が生じるようになった。また中南米への移民は、ポスターなどによって大いに宣伝されたが、現地移民先は全く不毛の地で、これは「移民」ではなく、「棄民」だと言われるほどであった。

そこで新たな入植地として、日本領の遼東半島に隣接する「満洲」が注目され始めたのである。この頃、日本では「生命線」という言葉が流行していた。今後、日本人が生きてゆく方向は、アジア大陸、朝鮮半島からさらに、当時の日本「満洲」と呼ばれる地だというのである。そしてその実現のため、新たな行動を起こしたのは、現地にあって陸軍部隊を率いる中堅幹部の将校たちであった。

第一次世界大戦後の、平和と「軍縮」の時代になると、現役の将校に多数の退職者が生じた。この失業救済のため取られた対策の一つは、大学、高校、中学の必修科目に「軍事教練」が加わり、その専任教員に退職した「予備役将校」が就任したことである。筆者の記憶によれば、各学校には、日露戦争の頃の

「三八式歩兵銃」が配置され、軍事教練は必修科目となった。中学三年生頃からこの銃を担いでの教練が始まり、四年生になると、実弾射撃も行われた。この軍事教育によって、国民には平和の理想と共に、戦争の現実も教えこまれたのである。事実、ソヴィエト共産主義国の存在は、日本人には大きな脅威であったし、米国もかつての「日米親善」の時代はすでに去ったとの感は明らかであった。筆者の記憶によれば、講談社の少年向けの単行本に『日米もし戦わば』があり、また雑誌『少年クラブ』のグラビアにソ連軍の最新機械化部隊の写真が載っていた。ソヴィエト共産主義の脅威を少年にも理解させようという配慮が、すでに存在したのである。

当時「満洲」と呼ばれた中国東北部は、南京を首都とする「中華民国」に属していたが、その蔣介石政権の統治はそこまで及ばず、張作霖らによる地方分権の状態であった。当時「関東軍」と呼ばれた現地駐在の日本陸軍は、一九三一年、武力行使による解決をはかり、親中国側の勢力を追放して、独立の「満洲帝国」を建設させた。皇帝には、かつての清帝国最後の皇帝溥儀が即位した。この国家は、満・漢・韓・蒙・日の五族協和を理想とする共同体と称し、その国旗は「満洲」を表す黄色の地に、赤・青・白・黒色の横線を左上に配したものであった。だが実はこの国家は、日本人の関東軍司令官兼満洲帝国派遣大使以下、日本人官僚が実質的に支配する傀儡国家であった。このような日本の独断専行は、第一次世界大戦後の国際体制に逆行するものであり、また中国のナショナリズム、さらにソヴィエト共産主義勢力とも、真っ向から対立する結果となった。

筆者の父、中山蕃は、一九三三年十二月、習志野にあった騎兵第一三、一四連隊を率いて第一旅団長として、ソ満国境のハイラルに赴任することになった。出立に先立って、父は家族を引き連れて、銀座の料亭「銀六」で夕食を囲んだ。母の亡くなった姉の子で、海軍兵学校生徒の中井一夫も同席していた（銀六は、長男克美の亡くなった母の遠縁にあたるアジア製薬を経営していた神取政基が所有するレストランで、銀座六丁目にあり、とても美味かった思い出がある。中井一夫は、のち大尉となり、日米開戦後の二月一日、米国機動部隊が初めてマーシャル諸島来寇の際、陸上攻撃機の分隊長として出撃、被弾して帰還不能となるや、米軍空母エンタープライズに体当たりを試みて戦死した。これは、「米国海戦史」に記されている。戦後、その菩提を弔うため三男の筆者が、中井姓を継いだ）。

「銀六」の二階でテーブルを囲んでいると、偶然であるのか、あらかじめ打ち合わせてあったのか判らないが、隣の部屋に父の親友、軍務局長の永田鉄山少将が来ていた。当然のことながら合流して父の送別会となった。二人は陸軍士官学校一六期生、永田は長野県諏訪の出身、中山は同県木曾福島出身で、陸軍幼年学校以来の親友であった。

当時ソ満国境は、かのノモンハン事件の前哨戦とも言うべき緊張が続いており、いざ戦闘となれば、騎兵旅団は、いわばおとりの役割で父の生命も危ないような状況であったという。永田は、「オイ、中山、貴様が戦死したら、ここにいる二人の子供は必ず俺が面倒をみて立派に育てるから安心して行け」と言ったという。また同席の中井一夫が海軍兵学校の生徒であるのを知って、父に「海兵は大人物を作る教育をやっていない。事実、今日の海軍に大人物はいないではないか」と話し出したという。一夫はこれを聞いて、悔しく思ったが、「永田は陸軍きっての人物、何一つ反論できず、よし、自分こそ鋭意人格の陶冶に努めて大人物になってやろう」と決意した。これは彼の日記に書かれている。そこには、兵学校教官の高田大佐の寸評もあり、「永田少将の言を不当とは思わず、ただし人間は努力次第で大人物になり得ることを忘れるな」という意味の評が記されていた。

永田がこの時、なぜ「今、海軍に大人物がいない」と言ったのか。恐らく親友だけに本音を述べたものであろうが、これを聞いた高田大佐も否定していない。これは恐らく一九三〇年のロンドン海軍軍縮条約の後、海軍部内で、条約に賛成する条約派と、反対する艦隊派に分かれたことに始まっているようだ。一九三一年十二月に成立した犬養毅内閣の大角海相は、条約派の海軍幹部を一掃して、予備役に編入してしまった。その中に、「将来、日本海軍を背負うべき逸材」とされた軍務局長の堀悌吉がいた。この時、かの山本五十六は、この「大角人事」を激しく批判している。永田は海軍軍縮に賛成であったと思われる。もし軍縮条約がなく、その後、軍備拡張の競争を、米国と争ったならば、その生産力の差から、戦力の差はさらに大きくなってしまうと、冷静に判断したものであろう。

父、陸軍少将中山蕃は、昭和八年十二月二十日、日本を出発して、旧満州ハイラルに向けて出発した。東京駅には、親族のほか、在京の軍人数十名が見送りに来た。その盛大さに、母はこれが、夫との今生の別れのように感じたという。

軍務局長永田鉄山が、相沢中佐によって斬殺されたのは、二年後の昭和十年八月十二日である。その時、筆者一家は夏休みで、千葉県上総湊に海水浴に来ていた。ラジオで事件を知った母は、すぐ一人で、渋谷区松濤町の永田邸に飛んでいったのを記憶している。

父蕃は、昭和十一年に帰国、中将に昇進し、翌年に任命された騎兵監が最後の役職であった。この時以後、戦闘は騎兵によることなく、代わって機械化部隊の時代になり、父の役職はすでに過去のものとなっていたと思われる。待命により予備役になったのは、昭和十四年十月であった。その後、中山蕃と同郷、同期の親友永田鉄山の遺族、重子夫人、長男鉄城氏との付き合いは、一生続いた。

筆者は、昭和八年小学校に入学した。この年から、「読方」（国語）は、色刷りの新しい教科書に変わり、第一課は「サイタ、サイタ、サクラガ、サイタ」、第二課は「コイ、コイ、シロ、コイ」、第三課は「ススメ、ススメ、ヘイタイ、ススメ」で、新しい昭和の時代を象徴しているように思われた。すでに二年前、「満州事変」という戦争が起こっており、さらに四年後には、中国との大規模で長期にわたる日中戦争が生じるのであるが、この戦場は日本から遠く離れた大陸であり、しかも日本軍の連戦連勝のニュースばかりであったから、多くの日本人には、「戦争」が強烈には感ぜられなかった。街頭のレコード屋では、恋や別れの「流行歌」が大音で流されており、ジャズも大流行であった。今日でも大人気の「東京音頭」も、この頃すでに、夏の盆踊りに欠かせぬ流行歌であり、日本人は、むしろ平和を謳歌しているように見えたのである。

世界大恐慌による不景気も、昭和のひとケタの時代で終わり、昭和十年以後は、「軍需景気」で社会は安定したように見えた。昭和十一年のベルリン・オリンピックの次を日本が引き受けたのも、自信の現れであった。しかし東京オリンピックは、戦争を理由に実現しなかった。だがこの昭和十五年こそ、世界大戦前において、日本が最も強力かつ充実した時代とされている。この年、政府は、皇紀二千六百年の盛大な祝典を行った。

小学校、中学校の日本史の授業では、日本は、西暦紀元より六六〇年以前の年（皇紀元年）に、初代神武天皇が即位され、以後、現在の今上天皇（昭和天皇）に至るまで、「万世一系」の天皇の君臨する国家であると教えられた。日本史の年号は、西暦ではなく、この「皇紀」で憶えねばならなかった。また日本の歴史は栄光に満ち、それゆえ、外国と戦って敗れたことがないように教えられた。古代、朝鮮半島での「白村江の戦」の敗戦は、教科書に載っていなかったし、また天皇家の親族間の争乱「壬申の乱」もなかった。

栄光に満ちた日本という意識は、明治維新以来、半世紀足らずのうちに、近代国家しかも世界強国の地位にまで躍進した事実に裏づけられていた。このことは、外国人も驚嘆するところであった。先に述べたドイツのゲオルク・ミヒャエリスは一八九八年、日本についての講演の中で、「日本は、熱に浮かされたような過剰とも言える努力によって、ほかの国なら数世紀かかることを、一世一代で成し遂げようとしている。その成果は驚異的である。清国に対する短期決戦の勝利によって、日本は全世界に、この国を近代国家として見なければならぬことを証明してみせた」と述べている。

「維新の大業」と、それを完成させた明治天皇への尊崇は、ほぼ全日本人が一致して抱くところであった。明治天皇は、大日本帝国の統治者として威厳を保っていたが、平素の生活は頗る質素であった。筆者は、明治天皇の逸話として、兵隊が食事をとっているのを見て、この兵には「漬け物」がないが、どうしたのか、と言われたのを、天皇の逸話として聞いている。このように、人間味にあふれた君主という印象は、明治天皇に多く見出される。

皇后の「昭憲皇太后」も、和歌に優れ、日本人のみならず、外国人にも、評判の良い方であった。ただ、天皇との間に子がなく、皇太子がいないことは、天皇制にとって重大な問題である。そこで柳原愛子二位局という女性が明治天皇との間で、皇太子(大正天皇)をもうけた。

この事実は、筆者が中学時代にすでに聞いている。ただ大正天皇の実母の方が、なぜ「二位」なのか、また「局」とは何かは理解できなかった。二位は皇后より下の位、しかも皇族ではなく、局は宮中の位の高い女官ということであるが、ある時、大人の女性が筆者に小声で、「二位の局は、明治天皇のお妾さんのことよ」と小声で言った。日本では、明治以前には、一夫一婦制は存在せず、天皇と皇后との間に生まれた皇太子は、大正天皇以後のこと、それ以前では、古代と江戸時代に各一例しかないのを知ったのは、ずっと後のことである。ただ「めかけ」という存在を知って、明治天皇でも、やはり「人間」なのだという感慨をぬぐいきれなかった。

明治天皇の崩御ののち、日本人の天皇によせる尊崇の心は、「明治神宮」の造営に結集した。今日「代々木の森」と称される広大な森林は、全日本からの献木によって造られたものである。その後、全国民の休日として、最も大切な四つが定められた。元日の「四方拝」、初代天皇の神武天皇の即位日とされる二月十一日の「紀元節」、四月二十九日の現天皇の誕生日の「天長節」、明治天皇の誕生日の十一月三日「明治節」の四大節である。

明治に続く大正の時代は、「デモクラシー」など、政治社会に新鮮さが感ぜられる面もあったが、大正天皇は病気がちで、影の薄い存在であった。わずか十五年の治世で、この天皇を偲んで「神宮」の造営もなく、日本人国民は、皇太子（昭和天皇）に新たな期待を寄せた。

「昭和の御代」の若き天皇は、すでに神となって祀られた明治天皇の後裔として、全国民の期待の星となった。ただ、全世界に、民主主義、社会主義、共産主義など、天皇制社会に反する思想や運動も生じ、事実、天皇暗殺未遂事件も生じていたから、当時の重臣西園寺公望らによる配慮によって、天皇は一般国民とは接することが少ないように配慮された。国民が見る天皇の姿は、観兵式の際に、白馬にまたがる大元帥の軍服姿の天皇の写真のみであった。ラジオ放送にも、天皇の声は放送されなかった。だが他方、皇室と一般国民との親しい間柄を実現するためか、弟の秩父宮が、天皇に代わって、一般国民社会に登場した。それゆえこの弟君は、童謡にまで歌われ日本人国民の「人気者」になっていた。

筆者が入学した東中野小学校は、この年に新設開校した学校で、正面の右側に「御真影奉安殿」があり、「今上天皇」の写真が納められていた。登校する教師、生徒は、「奉安殿」に一礼して学校に入った。このような事実から、当時の天皇が「現御神」(アキツミカミ)として敬われていたのが判る。戦後の一九四六年元日、昭和天皇の「新日本建設に関する詔書」によって、現天皇の「神格」が否定された。これは昭和天皇の「人間宣言」として知られるようになったが、日本人の「神観念」は、全知全能の絶対者とは理解されていない。日露戦争の英雄東郷元帥が神となって「東郷神社」に祀られるように、神もかつては人であったのである。筆者の子供時代の記憶として残っているものに、昭和八年の皇太子(現上皇)の誕生がある。それまで昭和天皇には、三人の皇女がいたが、世継ぎの男の子がいないのが大問題となっていた。今度こそという期待で、もし男の子だったら、サイレンが二つ、また女の子なら一つと知らされていた。皇太子誕生は、全国民の大喜びとなった。当時の童謡に、「鳴った、鳴った、サイレン、サイレン、天皇陛下およろこび、皇太子さま、お生まれなった」がある。このような、筆者の思い出からも、天皇や皇室が「神」としてではなく、一般の人と同様に理解されていたのが判ろう。

日本の「満洲国」建設に至る行動に対し、当時の中華民国政府は当然これに抗議して、一九三一年九月、国際連盟に提訴した。同年十二月、連盟理事会は、日本と中国との「紛争調査委員会（リットン調査団）」の設置を決議し、翌年三月、英国人リットンを団長とし、ほかに英・仏・独・米・各一名よりなる調査団を編成、満洲、日本、中国の各地を巡って、その報告書を提出した。そこには、満洲の独立は承認しないが、その地に、中国の主権の下ながら、自治政府が樹立され、日中両国は、不可侵・通商条約を結ぶという内容で、日本の立場にも配慮が認められていた。しかし、この報告書をめぐって開催された臨時総会において、日本の代表松岡洋右は、断固、国際連盟脱退を発表し、当時の日本国民から喝采を浴びた。「国際主義」はこの時、日本人の「ナショナリズム」によって無視されたのである。もっともナショナリズムに関して国際連盟は、常任理事国の英仏両国の意向に沿って、東欧に、ポーランド、チェコスロバキア、バルト三国、バルカン半島にユーゴスラヴィアの独立を認めた。しかしアジアにおいて盛んになりつつあるナショナリズムには全く意に介せず、欧米先進国によって指導される「植民地」のままにとどまったのである。

国際連盟を批判する日本人の主張の根本には、「白人のアジア支配からの解放」があった。筆者は当時、国際的に有名な歌手、藤原義江が歌った歌詞に、「有色の、屈辱のもと、あえぐもの、アジア、我らがアジア、失うは、ただ鉄鎖のみ、こぞりたて、我らが日本、日本のみ」というものがあったのを記憶している。もし日本が、この解放の道を歩むならば、日中両国は常に友邦であり、両国の衝突は生じなかったであろう。当時の中国政権の首班蔣介石は、明治維新以来の日本の近代化に着目し、自らも日本の陸軍士官学校に留学するほどであったから、日本は、中国現政権にとって常に友邦であると期待していたと思われる。しかしその後、両国の関係は、北シナでの軍事衝突から、さらに飛び火して、日本軍の上海、南京の占領、南の広東、中部の武漢と占領地が拡大され、悪化の道を辿っていった。首都南京の占領に際しては、日本国民は、その勝利を祝って「旗行列」までした。これは、小学生だった筆者の思い出として今も記憶に強く残っている。かの「南京事件」は、全く知らされぬままであった。

中国との紛争が、拡大していく中で、軍部の中で円満に解決すべきだとする将軍も存在した。一九三二年、大将白川義則は、上海派遣軍司令官として出発するに先立って、昭和天皇から、「条約の尊重、列国協調、速やかに事件解決」を指示された。現地に着くと、同年三月三日、在京大本営の意向に逆らって、停戦命令を発した。だが翌月二十九日の「天長節」の祝日に、テロリストの爆弾によって死亡する。昭和天皇はその報を聞くと、「派遣軍司令官として異域にあり、精励よく任務履行して、国際の信義を達成せり」と、その労を褒め、さらにその後、遺族に、「乙女らの雛まつる日に、戦をばとどめしいさを思いでにけり」の御製を下賜された。しかし陸軍部は、これが軍の士気に関わるとして、公表を拒んでいる。

このように、天皇の個人的な真意を、無視する臣下が存在する時代であったのである。

日中関係が泥沼化していく中で、ナチス政権下のドイツは、蔣介石政権に軍事顧問を派遣するほどの友好関係にあった。そこで一九三七年十一月から、駐在中華大使オスカー・トラウトマンによる日中和平工作が行われた。これには、参謀次長多田駿中将など賛意を表する軍人も存在したが、大本営幹部、外務省はこれに耳を傾けなかった。これは、多くの日本人指導部に、大局を見通す眼がなかった事実を示している。

日本軍が首都南京を占領して、日中関係が泥沼化していく中でも、なお休戦を主張する現地将軍は存在した。中島今朝吾中将である。彼は、一九三八年一月の徐州会戦に先立って、「中国軍は決戦を欲していない。ナポレオンのロシア侵攻の失敗を教訓として、即時、休戦」をと、大本営宛に建白書を呈し、外務省にも書簡を送った。中島の部隊は、今日でも、国際的に非難の的になっている「南京事件」の首謀者である。終戦後の十月二十八日、米軍警察が彼を逮捕に来た直前、死亡していた。彼は、フランスの陸軍大学を卒業した教養人であった。それがなぜ、殺人、暴行、略奪と犯罪の限りを尽くした行動の責任者になったのか。筆者の両親の解釈によると、これは中島の「裏の性格」に起因するという。筆者の母は、中島の悦子夫人と交際があった。今日の中島の「伝記」によると、彼は、人情家で六男二女をもうけ、子煩悩であったと記されている。だが、悦子夫人が筆者の母に語ったところによると、中島は「サディストだ」と、悪口ばかり言っていたという。この将軍の「裏の性格」が、かの悪行を産んだのかもしれない。

日本軍が戦闘を続行する中で、中国側の蒋介石政権は、首都を重慶に移し、多くの中国人民を糾合し、「抗日」、「侮日」の運動はますます強烈になった。一九三八年一月十六日、近衛政権は、「国民政府を対手とせず」の声明によって、日中関係をますます泥沼化させ、何ら解決の道を見出せず、日本はさらに世界大戦へと引きずり込まれていったのである。

日本がこのように国際的に孤立していく中で、唯一友邦として選ぶことができたのは、ナチス・ドイツであった一九三六年に調印された「防共協定」が示しているように、ソヴィエト共産主義が、当時、ともに相容れぬ敵であったからある。翌年には、ファシスト・イタリアも参加して、国際連盟による国家群に挑戦する「枢軸国家群」が成立した。

ここに第二次世界大戦の開幕の準備が始まったのである。

11　第二次世界大戦

①　戦争の勃発と開幕

第一次世界大戦は、まずオーストリアとセルビアとの二国間の戦争として始まった。人々は、これが以前の日露戦争や普仏戦争と同じように、二国間の戦争として展開し、せいぜい一、二年の戦闘で終わると思っていた。一九一四年七月、かのサラエボ事件の後、オーストリア政府がセルビアに強硬な最後通牒を発した後でも、ヨーロッパの列強諸国は、それが大戦にまで拡大するとは夢にも思わず、折からの暑中休暇に入っていったのである。

その後、ドイツとオーストリアの政府は、相手方（ことにセルビアの背後にいるロシア）の出方を試した。かつての三帝同盟のよしみを想起して、引っ込めば平和が保てるし、反対ならば戦端を開くとしたのである。事実は、当時、開戦を意味するロシアの総動員によって、大戦が勃発し、しかもドイツ政府は、ロシア、フランスなど、連合国側に開戦の責任を押しつけた。それによって、ドイツ全国民に祖国防衛のため、戦争協力を強いることも可能にしたのである。

第二次世界大戦の事情は、全く異なっていた。二度目に生じたこの大戦は、「開幕」なのである。この見解は、大戦後、西ベルリンに新たに創立されたベルリン自由大学の教授となったスイス人ヴァルター・ホーファーが唱えたものである。彼は、第一次と第二次の世界大戦との違いを、比喩的に次のように述べている。

「一九一四年には、平和の天使は、災難によって、あるいは恐らく過失で死亡したのだと言える。だが一九三九年には、天使は殺害されたのだ。」

（W・ホーファー著、林健太郎、斉藤孝訳『第二次世界大戦前史』お茶の水書房、一九五八年、一〇頁）

その犯人がナチ・ドイツの独裁者ヒトラーであるのは言うまでもない。

前章で触れたように、フランスのフォッシュ元帥は、第一次世界大戦後のヴェルサイユ条約について、それが講和条約でなく、「二十年の休戦」にすぎないと言ったが、その休戦の後、どの国が再び戦争を起こすかは語っていない。だがかの講和条約が、ドイツにのみ戦争責任を負わせ、それによって莫大な賠償金を課してドイツ人の恨みを買ったから、再び戦争を起こすのは、ドイツ人であるのは、言わずもがなのことであろう。フランスが今後、万が一の攻撃に備えて、仏独国境に要塞「マジノ線」を構築したのも、こうした危惧のためであった。

ドイツは二度の世界大戦において、いずれも敗戦国となった。しかしその敗北の様相は、第一次と第二次では、全く異なっていた。第二次世界大戦では、ナチ・ドイツ軍は、米英ソの連合軍によって、東西から攻撃を受け、ほぼ全土が占領され、独裁者ヒトラーは自殺し、無条件降伏によって大戦が終わった。一方、第一次世界大戦では、ドイツは、短期決戦の勝利の期待に反して長期戦を余儀なくされた。ドイツ軍と英仏軍とは、何度も激烈な戦闘を繰り返したが、勝負はつかなかった。自国の勝利を信じていたドイツ国民には、四年以上にわたる長期戦の結果、経済・社会的に不安が生じ、ついに完全勝利を諦めて平和を求める声も生じた。ロシアでは、社会主義革命によって、帝政ロシアが崩壊すると、一九一七年十二月五日、新政府はドイツと単独で休戦協定を結び、さらに翌年三月には、ドイツに有利なブレストリトフスクの講和条約が締結された。この後、事実上の軍事独裁下のドイツは、最後の勝利を期して、西部戦線で大攻勢を計った。だが米国も参戦した連合国側の軍事・経済力ははるかに強大で、一九一八年八月のアミアンの戦いでは惨敗を喫した。ここでドイツ政府は、ついに戦勝を諦めて、開戦直後から中立の立場で仲介を提案し、ことに「勝利なき平和」を主張していた米国大統領ウィルソンの「十四カ条」の原則を信じて、双方の対等の立場による休戦を求めた。だがドイツ政府が受け取ったウィルソンからの回答は予想以上に強硬で、その交渉は難航した。すると、事実上の軍事独裁者ルーデンドルフや皇帝は、海軍首脳をも加えて、戦争続行を決意したが、キール軍港では、出撃すれば、圧倒的に優勢な英米艦隊が待ち構えていて、ドイツ海軍の惨敗が必至と見た水兵の反乱から、革命運動が全ドイツに波及した。その結果、ドイツ政府は、ウィルソンの最後の要求を受け入れ、この休戦によってドイツの敗北は決定的となった。十一月八日から、勝利を誇る連合国代表フォッシュ元帥出席のもと、フランスのコンピエーニュで休戦協定の調印が挙行されたが、敗北を甘んじて受けようとしない最高軍司令官のヒンデンブルグは出席せず、代わって早くから和平を唱えていたカトリック中央党の閣僚のエルツベルガーが代わって調印式に臨んだ。

この大戦におけるドイツ軍の人的損害は、戦死者百八十万、戦傷者四十二万という前代未聞の数であった。しかしドイツ軍は、最後の決戦で惨敗を喫したものの、その戦場はドイツ国外にあり、ドイツ兵の勇戦敢闘はドイツ人の心に深く刻みつけられていた。大戦後、共和国大統領エーベルトも、戦場からの復員兵に対して、その敢闘をねぎらうほどであった。

帝政が倒れ、ワイマール共和国となったドイツでは、かのヴェルサイユ条約で、想像もできなかった苛酷な条件を強いられた。そのため、新しいドイツの国民議会では、この悲惨な敗北の原因を問う「調査委員会」が設けられ、そこで「戦争がかくも延びた原因は何か?」「この間、和平の可能性はなかったか?」が問題となった。この委員会で、かっての最高軍司令官ヒンデンブルグは、「ドイツは戦闘に敗れたのではなく、国内の革命派に背後から襲われ、短刀で突き刺された」と証言した。ここから、かの有名な「ヒ首伝説」が生じた。だがドイツ革命以前に、ドイツは勝利を断念したのであるから、これは全くの作り話であった。この大戦では、ドイツ本土はほとんど侵されることなく、復員軍人も凱旋兵士のように迎えられていた。また、議会制民主主義の新共和国は、旧軍人の支持によって、極左の共産党の革命から守られた事実があった。このようにして、新しいドイツ共和国では、議会制民主主義と共に、帝政時代のナショナリズムも温存されていたのである。

②　ナチス・ドイツの登場

社会の混乱の中で、不安と不満とが渦巻く時、救世主や英雄を待望する声があがる。アドルフ・ヒトラーがナチ党員として政界に現われた一九二〇年、三〇年代に、多くのドイツ人が抱いた不安や不平不満とは、ドイツが世界大戦に敗北の後、天文学的な数値にまで達したインフレから始まった生活苦であり、またこの危機に乗じて、ロシアで成功した革命がドイツにも及び、無産者（プロレタリア）独裁となって、有産者ことに小市民が没落するのではないかという不安であった。また不満とは、この大戦では、敵兵を一人としてドイツ国内に侵入させてもいないのに、無条件の講和を強いられ、ドイツのみが戦争責任を負って、莫大な賠償金を課せられたという不満であった。

アドルフ・ヒトラーは、兵士として位こそ低かったが、二度も鉄十字勲章を授けられた歴戦の勇士だった。戦前、ウィーンでのしがない街頭画家から転じて、生命を賭けた戦闘に人生の意義を見出したのである。一九一八年、戦争が終わった時、彼は毒ガスで眼を痛め、野戦病院に入っていたが、ドイツが戦争に負けたとの実感は全くなかった。しかし連合国がドイツに苛酷なヴェルサイユ条約を強いるのを見ると、祖国ドイツの敗北は、戦争中、革命を起こした社会主義者やユダヤ人のせいであると信じるようになったのである。事実、この時の共産主義の指導者カール・リープクネヒト、ローザ・ルクセンブルクはユダヤ人であり、休戦協定に将軍に代わって署名したエルツベルガーも、カトリック教徒からなる中央党員ではあるが、ユダヤ人とされていた。

ヒトラーが復員して戻ってきたのは、「出征」の地ミュンヘンであった。この町は戦後、左右両翼の運動によって絶えざる騒乱の地となっていた。ヒトラーはそこで政界に身を投じ、共産党の対極にある極右政党の党首となり、彼にとって、また再び意義ある人生を見出した。その独特の演説口調と身振り手振りによって、彼は、屈辱のヴェルサイユ条約打破、反ユダヤ主義を唱えて注目を浴びた。するとその調子に乗って、一九二三年十一月ミュンヘンで一揆を起こし、イタリアで成功した、ムッソリーニのローマ進軍による政権奪取を真似て、ベルリンまで行進して一気に政権奪取を夢見たが、あえなく挫折する。禁固刑に処せられたヒトラーは、獄中で自伝『わが闘争』を書き、なお自らの揺るがぬ信念を表明した。翌年釈放されると、ナチスは「合法的」な方法による政党運動に転換、彼の圧倒的な演説に助けられて、党の勢力は次第に拡大していったのである。

ワイマール共和国にあって、野党として左右両翼に位置する共産党とナチスとが、ともに敵対する政党は、現政権の社会民主党と、それに連立する、カトリック教徒からなる中央党、そのほかのブルジョア政党であった。共産党にとって彼らは、「労働者・人民を裏切った」からであり、ナチスにとっては、敗戦と革命によってドイツ民族を裏切り、恥ずべきヴェルサイユ条約を甘受した「十一月の犯罪者」であるからである。そこで「敵の敵は味方」という論理が一時通用して、左右両翼の二党は、ワイマール共和国に反対するため、共同の戦線を張ることもあえてした。共産党は、この極右政党との協力によって共和国が崩壊すれば、ドイツに共産主義革命の条件が作り出されると計算していたのである。

ドイツ共産党の創立大会は、一九一八年十二月三十日から翌年一月一日に開かれた。党はロシア革命の成功を見て、ドイツにも一気に独裁的レーテ（ソヴィエト）政権の樹立を目指した。しかしワイマール共和国の与党となった社会民主党を首班とする政権は、旧帝政軍部の協力を得て共産党を弾圧した。そこで同じマルクス主義の政党でありながら、共産党にとって社会民主党は憎悪の的となる。共産党は、引き続き非合法活動を続行し、ミュンヘンやブレーメンで、一時レーテ政権を成立させたが、これらも粉砕されてしまう。そこで一九二〇年以降、共産党は大衆政党として合法活動に転じ、しかもモスクワに本拠を置く第三インターナショナル（コミンテルン）のドイツ支部として、選挙戦にも加わり党勢力を伸ばしていった。一九二四年から翌年にかけて、共産党員は十万人であったが、二八年の選挙では、三百二十万票、全投票の一〇・六パーセント、五十四議席を獲得するまでになった。

一九二九年に始まった世界恐慌は、ただちにドイツにも及び、それは労働者たちを急進化させ、共産党の躍進にもつながった。彼らは、一九三〇年九月の選挙における唯一の勝利者は共産党である、と宣言した。他方、ナチスも今までの十二議席から一気に百七議席となって、社会民主党百四十三議席に次ぐ第二党に上昇した。

この選挙戦で、ナチスと共産党とは真正面から対決した。ナチスは「赤いテロ」、「ボルシェヴィキ革命の危機」という宣伝文句を全面的に展開し、ワイマール体制に反対する右寄りの人々の一切を包み込む戦術をとった。これが大躍進となったのである。共産党員と道路上や会場での乱闘も各所で起こり、選挙期間中に五十一人の死者が出た。

すでにこの頃、一九二〇年代の自由・民主主義は退潮し、イタリアでのムッソリーニの「ファシスト」政権をはじめ、全世界にファシズムの兆しが生じていた。その時ドイツ共産党は、むしろ今こそ「革命的情況」が出現したと信じた。彼らはコミンテルンの判断にしたがって、その主敵を、ワイマール共和国を支える社会民主党に見た。反ファシズム闘争をとなえながら、いわゆる「社会ファシズム論」を標榜して、そのファシズムの担い手をワイマール共和国政府＝社会民主党とした。そして凶悪なドイツ・ファシズム（ナチズム）を過小評価して、彼らを首のすげかえが可能な「独占資本家の代理人」にすぎないと捉えていたのである。それでも一九三二年五月、共産党は「反ファシズム運動」の一環として、反ファシズム諸勢力の結集を呼びかけた。しかし、この統一行動の提唱は、労働者が社会民主党を捨てて、共産党に加わることを意味しているように見えた。それゆえにこれは、社会民主党が共産党と提携して闘争することを妨げていた。

一九三二年七月の選挙で、ナチスは二百三十議席を得て第一党となり、共産党は八十九議席、社会民主党の百三十三議席に迫る第三党となった。次の同年十一月の選挙では、ナチスは第一党ながら百九十六と議席を減らし、共産党は百議席とさらなる躍進を遂げた。ナチスと共産党とのいっそう熾烈な闘争が、この結果となったのである。かくして、「共産主義革命」の危険が、ナチスのみならず保守派の多くの人々にとっても、差し迫ったかに見えた。もし共産党が政権をとったら、私有財産は没収、大企業は国有化される。これを恐れた業界、財界の大物たちも、初めは軽蔑していたヒトラーとナチスの連中を利用できるのではないかと思うようになった。これが十一月選挙で退行し、過半数に達しなかったナチスが政権にありつく原因となった。

ヒンデンブルク大統領が、ヒトラーを首相に任命し、ナチスとドイツ国家人民党や鉄兜団（シュタールヘルム）などの右翼による「国民的結集」の連立内閣が成立したのは一九三三年一月三十日である。しかしヒトラーは、ナチス独裁政権を狙って、二月一日、国会を解散し、投票日を三月五日とした。新選挙によって、ナチスは絶対多数を獲得し、無制限の立法措置を可能にするはずであった。その後、すさまじい宣伝戦が展開された。この選挙戦における当面の敵は、ナチスの対極にある左翼、社民主党と共産党とされた。事実、国会解散の翌二日には、早くもプロイセンやチューリンゲンで共産党のデモおよび戸外での集会禁止の措置がとられ、共産党員二名が射殺されるなど、投票日に向けて、ナチスによるテロが横行したのである。

警察権力を握ったナチスの無任所相ゲーリングは、二月十七日、左翼に対して「必要とあれば容赦なく武力を用いること」を警察に命じた。彼らはナチスの原理上の敵であるだけでなく、きたるべき国会において、ナチスが過半数を得るのを妨げる存在であったからである。両党の衝突は激化し、二月上旬だけで十五名の死者とそれに十倍する負傷者が出た。この頃、ナチスに同調する新聞やラジオは、共産主義革命の恐怖を強調していた。しかしまだ、共産党の禁止にはならなかった。この党を支持する有権者が社会民主党に移るのはまずいと考えたからである。またナチ権力は、公然たるテロと禁止措置によって、敵を力ずくで圧倒するのでなく、繰り返し相手が暴力行為に出るように挑発して、法的禁止措置を取らざるを得ないという口実を作るのが、「合法的革命」計画の方法であった。

ナチスと共産党との抗争は、二月の最初の週には、地方でいくつかの市街戦が起こりはしたが、中央で共産党による大規模な蜂起はなかったし、それを示すような状況証拠も見当たらなかった。一九三三年二月二十七日、国会議事堂が放火によって炎上した。これはヒトラーの権力掌握を決定的にした。放火犯人が誰かについて長らく論議され、どうやらオランダの共産主義者ルッベの単独犯行との説が有力になった。ドイツの共産主義者たちは、この事件とは、一切関係ないと強く否認した。だがこの事件はヒトラーにとって、「合法的革命」を達成しようとイライラしていた時、実に共産党を弾圧するおあつらえ向きの事件であった。ナチスはこれを共産主義者の蜂起の開始とし、先手を打って弾圧すべく、全警察に非常警戒態勢を取るよう指令し、その夜のうちに約四千人の共産主義者や好ましくない人物を逮捕した。党の刊行物も発禁となった。選挙戦の最中に、共産党は宣伝手段を奪われたのである。その翌日、「国民と国家防衛のため」の緊急令が発せられた。これによって、ドイツという法治国は長期にわたる緊急の例外状態に置かれることになった。以後三月中、プロイセンだけで逮捕される人間の数は二万人を超えたと推定される。また、三月五日の選挙当日まで、ナチスの反対者は五十一名の死者と数百名の負傷者を出し、ナチス側も十八名の死者を記録している。

しかし選挙の結果はナチスを失望させた。八九パーセントの投票率で、ナチスは百九十八議席から二百八十八議席と増大したものの、四三・九パーセントの得票で過半数に達しなかった。社会民主党は百二十議席、共産党も百議席から十九議席を失っただけで、なお四百八十万票を確保していた。すると三月二十三日、ワイマール憲法を根底から侵犯し、ナチスの独裁権力を完成させるための「全権委任法」が提出された。この法案が可決されるには、三分の二の賛成票が必要であったが、これに抵抗するはずの共産党議員は、すでに大部分が逮捕や監禁されており、果敢に反対したのは社会民主党のみであった。この法は緊急事態を理由とする時限立法であったが、のちに何度も延期され、ついには恒久的な法となり、反対派の存在を不可能にするものとなった。

かくして共産党は、ヒトラー支配下のドイツ人の中で最大の犠牲者となった。すでに逮捕されていた党首エルンスト・テールマンはじめ、数多くの党指導者は殺された。ドイツを逃れてソ連に亡命した党員にも、スターリンの粛清によって生命を落とした者も少なくなかった。テールマンの死後、ヴィルヘルム・

ピーク（戦後、東ドイツの初代大統領）が党首となり、党はなお非合法団体として、ドイツ国内の指導部やプラハやパリ（のちモスクワに移る）の国外指導部の指令によって活動を続けていた。しかし、ナチスによる共産党員逮捕の波はさらに拡大し、一九三六年から三七年にかけて、二万人もの党員が捕らえられた。そのため、三八年以降、ドイツ共産党は地方に散在する小さなグループになってしまった。

モスクワの政府は対外政策上、潜行したドイツ共産党を支援せず、むしろドイツの新しい体制を黙認し、独ソ関係の維持に努めた。これは一九三九年八月のヒトラー・スターリン協定（独ソ不可侵条約）となって表れている。

一九四一年六月、独ソ戦が始まると、中部ドイツやハンブルク、ベルリンなどで、地下組織であった共産党員による反ナチの抵抗グループが運動を起こした。亡命先から戻って勇敢な行動に走る者もあった。彼らはソヴィエト軍の勝利に貢献するため、ひそかにドイツの国情をモスクワに通報した。ドイツ国防軍の中にもスパイとして潜入し、無線連絡を試みた

ローテ・カペレ（赤いオーケストラ）という組織も作られた。だが彼らのほとんどは、ナチスの秘密警察に探知され、その指導者は処刑されている。

③　政治家としてのヒトラー

ヒトラーは、聴衆に言わば催眠をかける異常な能力ある大衆政治家として出発した。彼はその雄弁で、

現政権の政治家たちを口をきわめてののしり、全権力を自分とその党に要求した。今日、映画やテレビでヒトラーの党大会での演説とそれに酔いしれたような大群衆の姿を見ると、ヒトラー自身、自己陶酔に陥り、大衆もそれに感応して理性を失ったかに思える。ヨーロッパの中でも優れた教養人を輩出した文化国家のドイツ人が、なぜたいした教養もない成り上がり者のヒトラーを信じ、それに従ったのであろうか。

ヒトラーの時代に、米国に亡命し『自由からの逃走』など名著のあるエーリヒ・フロムは次のように説明している。

熱狂的なナチスの信奉者の中核は小市民であった。彼らは社会的上昇を望みながら、当時の窮迫した情勢の中で下降を余儀なくされ、それゆえ怨念に満ち、上にへつらい下を見下す存在だった。そういう人々に対して、ヒトラーは、彼らに自分こそ彼らにふさわしい「上」の人であると信じ込ませる才覚の持ち主だった。ヒトラーは、彼らにナチス運動の目的が全ドイツ人の救済であると十二分に納得させた。これは、彼らがまずヒトラーに従い、その後ヒトラーの言うことを信じるというメカニズムによって説明される。

ヒトラーはすでに一九二〇年代に、ドイツの新しい生活領域を征服するため新たな戦争を起こすと公言し、またその準備のために取るべき外交上の措置をも明言していた。また彼は、ドイツ人の血の「純潔」のために、国内のユダヤ人を除去することも常に口にした。

だが一九三三年、ヒトラーが政権を獲得した時、ドイツ人の中に、右のような冒険的な計画を期待した人は一人もいなかった。実はヒトラーは、ナチスが群小政党の一つであった時代の大言壮語を文字通り実行して、その結果破滅したのだったが、一九三〇年九月の国会議員選挙でナチスが大躍進を遂げてからは、この意図はドイツ人と全世界の前から隠された。以後ヒトラーは平和を訴え、戦争計画については公的の場ではまったく沈黙した。彼がとんでもない戦争を起こすのではないかと危惧する人もいないではなかったが、その懸念もヒトラー賛美の大歓声の前にかき消された。ワイマールの政党乱立の時代は終わり、代わって独裁政治が始まることは、ドイツ人には早くからわかっていたし、またその多くがそれを望んだ。ナチスのユダヤ人敵視について、ボイコットや暴行など目の当たりにしても、ドイツ人は無視したり、それは昔からあったことだと、見て見ぬふりをしたのだった。

ヒトラーは卓越した弁舌のほかに、能率的な権力機構を設け、それを支配する能力にも長けていた。有名なゲシュタポ（秘密警察）によるテロやおどしも、初めはそれによって恐怖に陥らせ、その後だんだんと緩めていって、ナチス反対派を絶望的な抵抗に追いやらないように配慮された。テロも「すべて遺憾な過渡期の必要悪」だと思わせたのである。

政治家ヒトラーは、一九三三年政権の座に就いてから奇跡的な経済復興をやってのけた。彼が首相になった時、ドイツには六百万の失業者がいたが、三年後には完全雇用となっていた。貧困と大衆の不安はともかく解消され、絶望転じて未来への希望が生まれた。ドイツ人の多くはヒトラーに対して驚きと共に、感謝の念に満ち、ことに労働者階級は、社会民主党、共産党の支持から一挙にナチスに方向転換した。

ヒトラーは経済通ではなく、この奇跡的な復興の功績は「経済の魔術師」と言われたシャハトの腕に帰せられる。けれども、このシャハトを起用してその辣腕を振るわせたのはヒトラー自身であった。この経済の興隆に寄与したものには再武装による軍備拡張があり、一九三八年にはドイツはヨーロッパで最強の陸軍、空軍を擁するに至った。ヴェルサイユ条約による制限を強引に打ち破ったこの業績には、ドイツ人の一部には戦争の不安を感じとった者もいたが、大部分は満足して国民的な誇りをもって応えたのである。

もとよりヒトラーの施政は成功に次ぐ成功ばかりではなかった。失政に対しては国民の批判も生じた。ナチスの機関は、国民のナチスに対する「世論」にはたえず眼を光らせていた。ナチスの圧制の下で、「世論」の形成はないとも云えるが、ドイツ人の気分や感情は、状況の変化によって浮沈した。例えば日々の生活不安から、その気分は沈滞し、外交・軍事上の成功によって高揚した。ナチス政治の特色は、国民の憂いを除くというより、それをほかの領域における成果によってそらす政策に出る点にあった。

一九三六年八月のナチスの記録では、ベルリン・オリンピック、スペイン戦争、ロンドン海軍協定は、「国民感情に良い作用を及ぼし、もろもろの不快感を取り去った」と記されている。一九三七年五月になると、「国民同胞の不満は以前より大きい。物資不足の責任は政府にある」としている。しかしその後、一九三八年三月オーストリア合邦によって、「歓喜」がみなぎり、九月のチェコスロヴァキア危機によっては「戦争の不安」が生じ、次にミュンヘン会談の成功は、ドイツ人に「意気高揚」をもたらしたのだった。

ヒトラーは、一九三四年九月のニュルンベルクで開かれたナチ党の演説で、党は「ドイツの妥協のない唯一の権力、独占的権力たらんとした」、そして「党としては少数派にとどまらねばならなかった」。なぜなら「国民の中の最も価値ある人々は、いつの時代でも多数派でなく、少数派の精鋭を動員しているからである」と叫んでいる。

右の演説でもわかるように、ナチスの支配は、非ナチスの多数のドイツ人を無理強いにでも従わせる独裁だった。議会制民主主義のルールによる選挙によって、一九三二年、ナチスは第一党になったが、決して過半数に達しなかった（三七・四パーセント）。しかも同年末の選挙では退潮すら示した。一九三三年三月の最後の国会議員選挙でも、ナチスは対立政党に対して暴力行使もあえて行ったが、やはり絶対多数を獲得できなかった（四三・九パーセント）。ヒトラーはこの選挙戦の圧倒的な勝利によって、全国民が自分の背後にあることを誇示しようとしただけに、その幻滅は大きかった。

しかしヒトラーが政権をとってからは、かつてナチスに投票しなかった六〇パーセント近くのドイツ人たちも、群集心理に動かされてか、九九パーセントまでが彼に賛意を表明して、鉤十字（ハーケンクロイツ）の旗を掲げ、ナチス主催のパレードやデモに嬉々として参加した。そこには、総統ヒトラーのカリスマ的魅力が作用したことは確かであろう。

歴史上の独裁者が、マケドニアのアレクサンダー大王、コルシカ島生まれのナポレオン、ジョージア出身のスターリンのように異邦人である例は多い。ボヘミアがもともとの出身地であるというヒトラーも同様であろう。だがドイツ人はヒトラーを異邦人の暴君として恐れ、その圧政に喚いたり反抗したりはしなかった。彼らの大部分はヒトラーをむしろ愛し慕っていたのである。ヒトラーは選挙キャンペーンの際、しばしば飛行機から降り立ったが、それが功を奏したのか、ドイツ人には彼が祖国を救うために送られた守護天使のように見えた。

「ヒトラーとドイツ人」との関係は「もし総統がそれを知っているなら」という言葉に象徴されるという。これは、ナチスの恐るべき非人道的行為にしても、日常の小さな悪に対しても適用された。例えば世界大戦が再開された当日、「T４作戦」と称して一万余の精神障害の患者が、「非生産的な存在」として安楽死させられたことがあった。一九四〇年十一月、ある地方婦人会の幹部がナチス高官の夫人に宛てて、「今、人々は、総統がこのことをご存じないし、知らされないようにされているのだという希望にしがみついています。もしご存知だったら止めて下さるでしょうから」と書き送った。実は、ヒトラーはこれを百も承知だったし、自身の口から命令が発せられたのである。しかし彼は国民の驚愕を聞き知ると命令を撤回した。つまり、ドイツ国民はヒトラーを信頼するあまり、だまされているのに気がつかなかったのである。

ヒトラーが、一九四一年九月、第二次世界大戦の幕を切って落とし、電撃戦で次々と勝利を収め、一九四一年にはバルカン半島をも征服して、半ばヨーロッパ覇権を達成した。この時ドイツ人の中で、ヒトラーを称賛しない者はほとんどいなくなった。そして賞賛はついに「崇拝」に変わっていった。「総統崇拝」は、日常の挨拶が「ハイル（万歳）・ヒトラー」を言い交わすことにも現れた。上智大学の故小林珍雄教授は、その当時ドイツに留学中であったが、大学の講義に先立って、教授も学生も右手を斜め前に高く挙げ、「ハイル・ヒトラー」と叫ぶのを見ている。その際、心の底からヒトラーを信奉している人たちの動作は情熱に満ちたものだったが、中には心ならずもの風情で力なく手を挙げて、つぶやいている者もあり、これは心中ナチスの信奉者ではないなと、納得したという。

ヒトラー・ユーゲント（青年団）の指導者バルドア・シーラッハは、十七歳の時初めてヒトラーと握手した感激以来、すっかり身も心も、この独裁者に捧げつくした人物である。彼はこの時、「ドイツの未来、アドルフ・ヒトラーに捧ぐ」の詩を書き、「われらは、あなたを魂の底から信じて疑わない。その信頼を、誰が奪うことができよう。あなたこそ、ただあなたこそ、ドイツの未来」と結んだ。

一九四〇年九月、日独伊三国同盟が結ばれると、シーラッハは、日本の神道の祖先崇拝と天皇崇敬を、旧来のキリスト教信仰に代わる新しい「ナチズム信仰」の模範として示そうと試みた。すなわち、「神道において、天皇と祖先の崇敬が求められるように、国民社会主義の教えでは、まず総統への崇敬が、次いで民族の祖先へのそれが要求される」とした。この信仰は、ほかのいかなる宗教よりも尊いものとされ、この「信仰を認めた上でなら、国民はカトリックやプロテスタントの団体に属してもかまわない」としたのである。

④　ヒトラーの女性観

ヒトラーは、ドイツ人女性に圧倒的な人気があった。今でもなお、若い女性たちに囲まれて悦に入っている彼の写真が残っているが、彼はその時、「いいお婿さんを見つけてあげるよ。優れたドイツ青年と結婚し、子供を産んで、良い家庭を作りなさい」と言うのが常であった。彼は、良妻賢母という伝統的な女性観の持ち主であり、いざ戦争になれば、女性をも動員して総力戦に備えるという構想は持っていなかった。これは彼が電撃戦による一気の勝利を信じていたからである。

「総裁」と称して颯爽と政治の舞台に登場した頃のヒトラーの大衆的人気は素晴らしかった。当時、ヒトラーは、私生活を顧みず、ひたすら国事に奔走するために独身である、と人々は信じていた。またそれが、ドイツ人女性に人気の理由でもあった。これは今日、独身の芸能人やスポーツ選手に、若い女性が夢中になるのと同様である。しかし実は、ヒトラーには、若い頃から幾多の女性遍歴があった。彼の生涯を細大漏らさず研究したヴェルナー・マーザーによると、ヒトラーが第一次世界大戦中、西部戦線において、フランス人女性との間に子供をもうけ、その子が今、北フランスで生活しているジャン・マリー・ロレであると立証した（西義之訳『ヒトラー・ある息子の父親』TBSブリタニカ一九七八年）。ロレは一九八五年死亡したが、その二人の娘が、日本のテレビで放映され、「おばあさんの彼氏がヒトラーだって」と、苦笑いのような顔だったのが印象的だった。

ヒトラーには、エヴァ・ブラウンという愛人がいたが、極秘にされ、南ドイツのベルヒテスガーデンのベルクホーフ山荘に住まわせ、秘かに逢瀬を楽しんでいた。それが正式に結婚式をあげ、しかも心中したのは、第二次世界大戦の終局、ナチスの滅亡の時であった。だがそれまで、ヒトラーとこの愛人エヴァ・ブラウンとの関係も、ヒトラーが彼女のヌード写真を撮らせたり、同じくヌードまがいのアクロバットをさせたりして悦に入っていたという証言もあることから、この独裁者は男性として異常ではないかという噂話は早くから存在していた。一九七〇代の「ヒトラーブーム」の頃、NHKの記者が、ヒトラーの側近に仕えたという老人に、「ヒトラーはインポテンツでしたか」と問うている。その答えは「いいえ、エヴァ・ブラウン嬢とは正常な夫婦関係でした」だった。それでも、ヒトラーの最初のドイツの愛人で姪のゲリ・ラウバルは自殺しているし、エヴァ・ブラウンも「好きだとは言ってくれるけど、それはその時だけの話」と嘆いている。マーザーによると、偉大な男性というものは、自らの欲求充足のために、「女を飼う」ことが許される。これがヒトラーの心情だった。そうしてみると、エヴァにアクロバットをさせたのは、ヒトラーの愛犬ブロンデイに「お手」の芸をさせるのと同じだったらしい。

ヒトラーの女性観は、先に述べたように、良妻賢母という古めかしいものだった。もっとも、特異な才能の持ち主の女性には、特別に処遇した。その例としては、一九三六年ベルリン・オリンピックの記録映画『民族の祭典』、『美の祭典』の監督レニ・リーフェンシュタールや一九四五年四月、ヒトラー自殺の直前、自ら飛行機でベルリンに着陸して、ヒトラーを見舞った女性飛行士ハンナ・ライチュがあげられる。もっとも、ナチ党員の中には、女性は良妻賢母であることで十分で、高等教育を受ける必要もないと主張する者がいた。ミュンヘン大学で、ナチ党の一幹部が女子学生を前にして、ドイツの女性は、大学の研究よりも、早くドイツ青年と結婚して「総統」のために優れた子供を産む方がいい。それは嬉しいものだよ、と下品な語り口で、片目をつぶって見せ、女子学生の怒りを買ったことがあった。その中に、反ナチ抵抗運動「白バラ」のゾフィー・ショルがいた。彼女はのちに、敢然と反ナチの立場をとり、東部戦線でナチ・ドイツ兵の恐るべき犯罪を、身をもって体験して、反戦、反ナチの運動に決起した兄のハンスほか、三人の学生の仲間に入ったのである。この運動は、ミュンヘンの大学生による「白バラ」を名乗る反ナチ抵抗運動として、広く知られるに至った。

ナチの結婚観は、さらに過激に走ることにもなった。優れて純粋なアーリア人種のドイツ青年男女を「交配」させて、優秀な子供を作ることまでやった。まるで競馬馬の交配と同様で、ナチズムにはヒューマニズムのかけらもないことが明らかになる。これは二〇一九年九月十一日、ＮＨＫのテレビで『ヒトラーの落とし子』として、そうして産まれたドイツの老人が放映されたので、驚いた日本人も多かったであろう。

⑤ ヒトラーと当時の日本

一九三三年一月三十日、ヒトラーが首相の印綬を帯びた時、朝日新聞を見ると、「惑星ヒトラー氏ついに政権を掌握す」の記事の中で、「ヒンデンブルク大統領を操る黒幕シュライヘル将軍の策謀に阻まれてきた惑星が、実際においては空名を擁するにすぎぬとはいえ、多年の宿望を達したのだから、その得意は想見すべきものがある。最近人気が落ちたとはいえ、ドイツ政界きっての大衆政治家で、その情熱的な言動はドイツ国民を魅了せずには置かぬものがある」とあり、さらに、「ヒトラー氏を首相に任命したのに対して、パーペン氏を副総理に任じ、その権限を拡張して施政一般に副総理の承認を得なければ、大統領がこれを裁可しないという新制度を採用し、かくして連邦政府の実権をパーペン氏の掌中に委ねんとするものである」と観察している。ところがヒトラーは、彼を見くびっていたパーペンらの足をすくって、名実ともに独裁者の本領を現していくのである。

右の朝日新聞の記事の中に「最近人気が落ちた」とあるが、これは、一九三二年七月の国会選挙で二百三十議席の第一党となりながら、同年十一月の再選挙では百九十六と落ち込み、退潮の兆しが見えたことによっている。ヒトラー政権誕生の直後、当時東大助教授の有沢広己は、『改造』の三月号に、「ヒットラー内閣は何をなしうるか」と題する記事を載せ、ヒトラーが何かといえば口にする「一切か然らずんば無」という原則的要求を捨てて、一月四日、ケルンのシュレーダー男爵邸でパーペンと秘密会見した事実をあげる。そして、この会見を仲介した黒幕は、ドイツ重工業資本家であること、かくしてナチスの最盛期は、文字通り「真夏の夜の夢」とすぎ、「ナチスの衰運はありありと現れ」、ヒトラーは「もはや指導していない。彼は指導され、押し進められている」ことを強調している。これは、リベラルな立場を取る、ドイツ民主党系の『ベルリン日報』の一月十一日の記事と似ている。また同じ頃、第二次世界大戦後、東京都知事となった美濃部亮吉は、ベルリン大学に留学中で、ドイツの現況を『中央公論』や『改造』に投稿していた。これらの評論は、昭和十年『独裁下のドイツ経済』（福田書店）となって出版された。これには父美濃部達吉博士の序文があり、長男亮吉は昭和七年から九年八月までドイツに留学したが、「ナチス政権の当初から最近まで、自ら現地にあって実情を目撃した者の研究」として、ナチスに関心を抱く人々にとって参考になると記されている。同じ標題の論文は、はじめ『改造』の昭和八年十月号に、近江良一のペンネームで発表された。その内容は次のようなものである。

ヒトラーは、一九三三年六月、すでに政権の座について得意の絶頂にあった時、今や、一九一八年の革命とは違う、真の革命である「国民革命」が完成したと演説している。それは、経済、文化、福祉その他、国民生活のあらゆる方向に無制限の権力を振るいうる「全体主義国家」であり、また議会、その他の協議機関に何ら制約されない「権力国家」の設置とされた。だが一月三十日から六カ月過ぎた今、この「全体国家」つまり第三帝国が、いかに労働者を圧迫し、またいかに資本家に「貢物を提供」したかがはっきりしてきた。つまり資本家による経済独裁が形成されたのである。「国民革命」は、何ら政治的、経済的変革をもたらしてはいず、それは単に、すでに存在していた独占資本家による支配、すなわち「金融寡頭政治」を、急速にまた極度に推し進めたものにほかならない。

美濃部と同様に、ヒトラーを資本家の番犬にすぎないと過小評価する見解は、向坂逸郎「ヒットラー政権の確立へ」(『中央公論』昭和九年九月号)や、今中次麿『民族的社会主義論』(大畑書店、昭和七年七月)等にも見られる。

ヒトラー政権は永続きしないだろう、あるいは既成保守反動勢力の「操り人形」にすぎないとの予想は外れ、ナチスが内政外交ともに成功を収めていくかに見える中で、ヒトラーを偉大な英雄と考える人も多くなってきた。

こういう見解の背景には、第一次世界大戦後の敗戦国ドイツや、戦後ヨーロッパに生まれたポーランドなどいくつかの独立国をはじめ、いわゆる「持たざる国」と言われていたイタリア、それに日本には、米国大統領ウィルソンが理想に描いたような自由主義・議会制民主主義が育たなかった事実がある。しかも世界恐慌後の混乱した社会の中では、強力な独裁政治家を待ち望む機運が生じていたのである。

一九三四年、ベルリン駐在大使だった本多熊太郎は、クーデンホーフ＝カレルギー(母は青山光子、汎ヨーロッパ運動で著名なオーストリアの伯爵)から、「今、ドイツ国民の心理を支配しているものは、英雄待望の熱である。ドイツ人は、ムッソリーニによって救われたイタリアを羨望している。それゆえ、ドイツも、ムッソリーニのような英雄によってしか救われないと感じている」との話を聞いている。本多は、どうやらヒトラーがその英雄になるらしいと観測する。彼によると「ヒトラリズム」は一言で言えば、「不平の焔」、現状を打破して「議会政治を排し独裁政治を樹立せんとする」運動である。これが天下を取るかどうかは未知数であるが、ともかく今や「きわめて力強き偉大なる存在」と断じている(『国民思想』昭和八年二月号、「ヒットラーとその影響」)。

ヒトラーが世界の注目を集めるようになると、日本の政治家やジャーナリストらも、ヒトラーと会見してその印象を発表するようになった。その例として、鳩山一郎、中野正剛、黒田礼二の三人の報告を紹介しよう。

まず黒田礼二である。彼は大正時代、左翼で、麻生久、佐野学らと共に「新人会」のメンバーだった。本名は岡上守一、黒田礼二はクロポトキンとレーニンからもじったペンネームである。一九三一年、朝日新聞特派員としてナチ党首ヒトラーと会見した黒田は、「神の予言者だけが一流の政治家たりうるとすれば、ヒトラーも最大級の政治家だろう」と評している。そして、この人物がなぜドイツ人に支持されたかについては、「例えば、ヒットラアとマルクスとを比較してみるがいい。マルクスは合理的な統計と計算が論理だ。それは頭に合点のいく驚くべき体系ではあるが、決して心の琴線に触れる詩ではない。しかるにヒットラアは霧の中の力強い創造であって、たとえ脳味噌には理解されなくても、人間の心臓には滲みとおる」（『総統ヒットラア』新潮社、昭和十六年）と説く。だが黒田のような印象から、ヒトラーには政治理念が乏しいとの観察は、当時すでになされていた。早大教授杉森孝次郎が「ファシズムの政治理念は一つの有耶無耶だ」とし、「ヒットラーがたんなる機会主義者、便宜主義者ではないか」と思うと記しているのはその一例である（『中央公論』昭和九年二月号、「ファシズムの理念」）。

昭和の一桁の時代すでに、政党政治家として著名だった鳩山一郎が、ヨーロッパ歴訪の旅に立ったのは、一九三七年七月である。そして十一月ヒトラーと会見する。彼はドイツ元首の「眼光に凡人ならぬ耀き」を見ている。すでに日独防共協定締結後のことで、二人の会談は友好的で、両国の関係をますます親密にすることで意見が一致した。鳩山は次のように書く。

「彼は正直な男だと印象している。ヒットラーがどうして独裁者たる地位を獲得したかを考えることは意義が深い。まず彼は勉強家だ、熱がある、品行方正、女の噂をきかぬことが大衆にアッピールする。それからナチの大会で、彼の演説を聞いて感じたことであるが、大衆を惹きつける力と熱がはちきれる程こもっている。ムッソリーニにしても、熱と力と勉強が全財産である。政治の形態よりも、まず人物の有無が政治の方向を決するのだと私は考えてみた。」

（『中央公論』昭和十三年三月号、「欧州政治の印象記」）

鳩山の外遊記は同年『世界の顔』（中央公論社）となって出版された。この書が太平洋戦争後の「公職追放」の理由となり、平和条約発効まで彼の政界復帰を妨げたことは有名である。

次は中野正剛である。中野がイタリアとドイツを訪問したのは、鳩山と同じ一九三七年である。ムッソリーニとは十二月二十一日、ヒトラーとは翌年二月一日に会見する。彼によると、日独防共協定は単なる防共ではなく、イギリスを中心にフランス、ロシア、さらに漠然と米国の後援のもとにあるヴェルサイユ体制を克服するためのものでなければならない。また中国と闘うことは「日本の武を汚す甚だしきもの」であった。そして中野はヒトラーに「日本は声援を求めないが、極東において日本がかくも活動している時に、ドイツもヨーロッパにおいて活動していただきたい。ドイツと日本がともに活動することは、ともにその負担を軽くすることである。ドイツはドイツの目的のために忠実なれ、それが日本にたいする絶大な援助である」と話してヒトラーを喜ばした。この言は、ナショナリズムの本質をつく表現のように思われる。中野は、「ヒットラー総統は、ヴェルサイユ条約の敗辱の中、屈辱の中から起ち上がった精神的の英雄である」と評している（『改造』昭和十三年四月号、「ヒットラーとムッソリーニ」）。

筆者がヒトラーについて初めて耳にしたのは、一九三六年八月のベルリン・オリンピックの際である。当時、筆者は小学四年生であった。水泳競技で日本選手の活躍は目覚ましかったが、男子自由形は、四百メートルリレーのほかは、期待に反して一位を米国に取られ、最後の希望は千五百メートル自由形であった。ベルリンからのラジオ実況放送は深夜で、筆者も大人と一緒にベルリンからの実況を聞いていた。競技の結果は、寺田登選手が悠々と一位で優勝した。その時、ラジオが「ヒトラー立ちました」との小声の後で、「ヒトラー総統立ち上がって、寺田選手に拍手を送っています。」との放送があった。これで筆者は、「ドイツで、一番偉い人はヒトラーだ」と知ったのである。その後、天才的な女流映画監督レニ・リーフェンシュタール作成のオリンピックの記録映画『民族の祭典』『美の祭典』が日本で上映され、人々はその素晴らしさに魅了された。また同じ頃、ナチスの青少年団「ヒトラー・ユーゲント」が訪日したが、その凛々しさも、日本人の「ナチス礼賛」の理由の一つになった。

第二次世界大戦が開始され、「電撃戦」によるドイツ軍の連戦連勝に、日本人はその強さに驚嘆した。大戦の後半に入って、独ソ戦でドイツ軍が敗退を重ねるようになっても、日本人はなお、ナチス・ドイツの最後の勝利を疑わなかった。ドイツ敗退を伝えることは、当時の日本ジャーナリズムにはできなかったのである。しかし一九四五年四月、ドイツの敗北が決定的となると、日本の新聞やラジオは、「ヒトラー総統の薨去」と大戦の終了を報じると共に、「ドイツは、その歴史において、何度か敗北を喫したが、今度も再び「不死鳥のごとく」再生するであろうと述べていた。

⑥ 戦後、ドイツ人はヒトラーとナチスをどう見たか

第二次世界大戦が終わった時、生き残ったドイツ人の眼前にあったものは、親族、同胞の多数の死と、占領下に置かれた国土の荒廃、それに明日の生活をも計り知れぬ困苦だった。さらにアウシュヴィッツをはじめすべての強制収容所で、連合国軍の手によって発掘された累々たる死体から、かのユダヤ人虐殺が決して噂などではなく、恐るべきナチスの犯罪だったという現実も知らされた。かくして現代史の課題は、ヒトラー支配の「十二年」について、その個人的責任、集団的責任の追求に始まったといえよう。そしてしばらくしてから、ナチスの時代を現出させた歴史的原因を究明し、最後にナチス第三帝国がドイツの歴史の中でどのような位置を占めるかの考察に至るのである。

そこで、敗戦から現在までの、「ヒトラー観」を、いくつか取り上げてみよう。

まず筆者が戦後、ドイツで出会って聞いた「ヒトラーやナチス」について、彼らの体験談である。一九六二年九月から三年間、筆者はスイスのベルン大学に留学していたが、一九六三年夏、デュッセルドルフの水泳プールにいた時、片脚が義足のドイツ人が近づいてきて、「あなたは日本人か」と問い、親しげに話し出した。そこで彼が述べたことは、「自分は、独ソ戦に従軍して負傷した者だが、この戦闘を私は決して無意味なものとは思っていない。今の東欧を見ると、ドイツはソ連とは戦って勝利すべきだった。

この大戦で日本は、ドイツとの軍事同盟に忠実で最後まで戦った。立派な国民だ」というのである。筆者のここでの体験はこれだけであるが、ほぼ同じ頃、ドイツにいた日本人の体験談に、「日本は立派だが、イタリアは、ドイツと一緒に戦って、かえって『お荷物』になり、負けそうになると、さっさと講和して、連合国側に移ってしまった」と非難するかのように話す者がいたという。ナチス第三帝国が、初めから人道に反する「犯罪国家」と分かっていれば、かの「三国同盟」をいち早く破棄するのは当然であろう。だが当時のナチス・ドイツは、国際法上、正当な主権国家であった。そしてこのナチス第三帝国の犯罪性は、大戦後初めて明らかにされたのである。

次に一九八一年、筆者はドイツにあって、自著『ヒトラー時代の抵抗運動』（毎日新聞社、一九八二年）を執筆中で、ベルリンの「抵抗運動展示室」を見学し、多くの参考パンフレットを貰って、「西ドイツ」に帰る途中、飛行機の中で、その資料を読んでいると、隣にいたドイツ人が筆者に話しかけてきた。自分は戦時中、空軍の将校で英国との戦闘で不時着して捕虜になった者だが、「あなたの持っている抵抗運動の話は、すべて正しくない。例えばゲーリングだが、彼は皆から『伯父さん』と呼ばれて本当に良い人だった。ヒトラーとも、食事をともにしたが、立派な人物だった」というのである。これは悪人といえども、個人的な付き合いでは、善人の側面を持っているからと解釈するしかないであろう。

さて戦後、まず考えられたのは、「**全責任はヒトラーにあったか、否か?**」である。

四百万人のユダヤ人を死に追いやった罪で、一九六二年、死刑となったアドルフ・アイヒマンは、イスラエルの法廷で、自分は忠実なナチ党員としてヒトラーに絶対服従したのであり、「命令である以上仕方ない」と言った。一九三四年九月のニュルンベルクのナチ党大会で宣言されたように、「ナチ党はヒトラーであり、ヒトラーはドイツである」とすれば、ナチス・ドイツのすべての意志と行動とは、ヒトラーに発するという、絶対的独裁者ヒトラーのイメージが浮かび上がろう。しかもこのヒトラーは、第二次世界大戦の前半までは、イギリスを除いた全ヨーロッパに覇をとなえ、ロシアに宣戦してモスクワまで進行して退いたナポレオンと同じ運命を辿った「時代の英雄」、一大戦略家であるように思われた。十九世紀初頭の革命戦争が「ナポレオン戦争」と呼ばれるように、第二次世界大戦は、何よりも「ヒトラー戦争」ではなかったのか、といわれる所以もここにあろう。ボン大学の政治学教授ブラッハーは、このヒトラーの中に、残酷な効果と超人的な意志との結合を見、それを「近代のチンギスハン現象」と名づけている。そしてこの残酷さゆえに、ナチスは、戦争の中で一大犯罪集団と化して、ユダヤ人大虐殺をはじめ、占領地における残虐行為など悪の限りをつくしたと解釈する。

そこで戦後ドイツ人は、それらの責任は、ひとえにヒトラーにあるとし、これら無辜の民衆を多数殺させたのは、チンギスハンやナポレオンと違い、軍事または政治の目的のための必要悪ではなく、ひたすら彼の個人的な満足のためであったと考えた。この「悪魔の魅力」のせいか、ヒトラーへの関心は今日でもすこぶる高い。例えば一九八三年、贋作『ヒトラー日記』は、世界中のジャーナリズムを賑わした。いかにスクープとはいえ、西ドイツ大手『シュテルン』誌が、日本円にして十億円もの大金を支払って偽物を買い取るなど不思議な話であるが、それだけ今でも「ヒトラーもの」は商売になるということだろう。

これほどヒトラーが話題になるのは、その犯罪のスケールがあまりにも大きく忘れがたいためである。またそのためか、例えばナチス滅亡三十年にあたる一九七五年、ポルポト政権下のカンボジアで、三百三十万とも百五十万ともいわれる組織的虐殺が起こると、これはナチスのユダヤ人大虐殺の再現だというように、現代の血腥くおぞましいすべての事件は、ヒトラーが「隗より始めよ」とばかり、口火を切ったからだと解釈することにもなっている。

次に「**全ドイツ人はナチだった**」かについて。

まず、戦犯アイヒマンの弁明が示すように、「ナチス・ドイツのすべての犯罪、すべての行動は、独裁者ヒトラーの責任である。」とのテーゼが「ドイツの破局」の解釈の第一歩だった。また、戦後のドイツを、近代以前の農耕牧畜の社会に変えてしまおうという、「モーゲンソー計画」でもわかるように、勝利の連合国側も、全ドイツ人はナチであり、ドイツの好戦癖、侵略主義は、ドイツの歴史的伝統的であると考えていた。そういう時に、ドイツ人たちが自らのアリバイを探そうとしたのは当然である。ドイツ人は残らずナチではない、その悪を初めから感じ取って、果敢に抵抗した人々がいたのだという主張は、いち早く現れた。だが、事実抵抗運動にかかわった人の記録は、中立国スイスなどで出たものが多かった。その後、米ソ対立の「冷たい戦争」の時代に入ると、西ドイツでは、西欧陣営と反ナチ、ないし非ナチのドイツ人との連帯を主張する意味を含めて、「抵抗運動」がことに強調されるようになる。一九四四年七月二十日のヒトラー暗殺計画がもし成功すれば、その後の臨時政府首班に予定されていたカール・ゲルデラーとドイツの抵抗運動に関する書の著者ゲルハルト・リッターによると、反ナチの運動は、左は社会民主党から労組、右は貴族、教会、軍部まで、広い層にわたって支持されており、彼らが共同で起草した「ポスト・ヒトラー」のドイツの政治・社会像は、戦後の民主的な西ドイツのモデルと言えるものであった。もとより抵抗に走った人は少数ではある。だがドイツ人の多数はナチではなく、ただヒトラーの強制的命令とテロ支配のために屈従を強いられたのだ、というのであった。かつてフランス革命がナポレオン独裁に終わったのを、ひとえに天才ナポレオンの責任に帰する解釈があったが、ここでも権力の「鬼神」たるヒトラーの役割が強調されるのである。ボン大学教授のブラッハーが、これでは昔の「総統崇拝」の逆立ちだと批判する所以もここにあろう。

次は「**ホンモノの独裁者だったか、否か**」である。

ナチスは何から何までヒトラーという見解では、オーストリア出身の、学校の成績も中以下だった一青年をドイツの独裁者に仕立て上げたものは何か、敗戦後のドイツの諸事情がなかったら、恐らく平凡な一市民として一生を終えたであろう、この男を政権の座につけたものは何であったかを十分説明するものにはなっていない。またヒトラーの運動に対して、現に歓呼をもって応じ、総統の命令に嬉々として従ったドイツ人の多数の存在とその責任は度外視される。

先に触れた独占資本家の「代理人説」は、ヒトラーは独裁者ではなく、その背後で操るものを設定する。だがヒトラーが、初め連立与党のドイツ国家人民党の党首で事実大資本家だったフーゲンベルクらを蹴落として、真の独裁的地位を確立したかに見えると、「オストロ・マルキスト」と称されるオットー・バウアーのように、ファシズムの勝利は、ブルジョアジーと労働者階級の対立と、双方の弱点の結果から、もたらされたものではあるが、「ファシズムは労働者を資本家に奉仕させるために屈服を強いるが、資本家に雇われたファシズムは、もはや彼らの手に負えないほどになり、ついには、全国民の絶対支配者にまでなる」と考察するものも現れてくる。

戦中、戦後の同時代の多くの人々、ことにナチスによって迫害された人々、さらに反ナチ抵抗へ起ち上がった人々は、ナチス第三帝国を「合理的に組織されたテロ支配体制」と見る認識で一致していた。けれども、戦後十数年を経て、社会が安定し、ナチスに対しても距離をおいて観察できるようになると、そこでは、ヒトラーの全能支配というイメージはなお確認されているものの、その国家にあっては、内政・外交・軍事など各部門に、複数の並列機関が存在し、それらは互いに競合するという「権限の多様性」が指摘されるに至る。すなわちナチス国家の本質は、ヒトラーの「単頭支配制」ではなく、むしろ「多頭支配制」であるというのである。さらに一九六〇年代、連合国のもとにあったナチスの「押収文書」が西ドイツに返還され、それが研究に利用されるようになってからは、ことに若い世代の歴史家たちによって、第三帝国像に大きな修正を求める動きが生じた。それによると、ヒトラーはたしかに重要な人物であるが、その権力には限界があり、決して自律的な存在とはいえず、競合のゆえに「無政府的混乱」にまでなった多頭支配制という状況に押されて、辛うじてそれに対応せざるを得ない政治家だったという。ボッフム大学のハンス・モムゼンは、ヒトラーを、「不承不承決定を下し、不安定の方がしばしばで、自分の威信と個人的権威を保持することのみを考え、その時々の状況の影響を最も強く受けた、多くの点で弱い独裁者」という判定を下している。

このようにして、ナチズムとはドイツのファシズムなのか、ヒトラリズムなのかという戦前の論争が、またここに再燃した。ハンス・モムゼンの双生児の兄弟であるヴォルフガング・J・モムゼンは、前者の立場をとって、ナチズムはやはりファシズム支配の一形態であり、それは「近代産業社会への移行過程中に生じた危機にあって、客観的、あるいは支配層の眼には主観的に、共産主義革命の脅威が感ぜられる社会の中での、特殊な支配形態」と定義される。しかしこの場合、ナチスと、反共を目的として保守反動のエリートとが同盟して、ナチ政権を成立させたことは理解できるが、ヒトラー政権後に現出した節度を失った政治、言わば「無法者の乱行」をどう説明するかが問題になろう。米国人ノーマン・リッチは、「ヒトラーこそ第三帝国のマスターだった」として、その個人的役割を強調する。ボン大学教授のブラッハーも、一九七五年来日した時、次のように発言している。「ナチズムにとって基本的なことは、ナチスとその支配が、初めから終わりまで、ヒトラーと共にあり、その勝利もその破局も、彼の決定、固定化したそのイデオロギー、政治の形式と共にあったという事実である。もとよりこれと同時に、ヒトラーは、ヒトラー以前の民族運動、社会運動と、その背景をなすドイツ及びヨーロッパの諸伝統の中で理解され分析されねばならない。それでも、ヒトラーの意図と行動とは、ナチスの歴史の中心に常にあり、その意味でナチズムはヒトラリズムであった。」

次は、彼は「**無責任な日和見主義者だったか、否か?**」である。

「わが党はちょうど七人だった時、すでに二つの原則を打ち出していた。第一に、わが党は真の世界観の党たらんとした。第二に、それゆえ妥協のない、ドイツにおける唯一の権力、たった一つの権力たらんとした」。これは、党大会におけるヒトラーの「絶叫」である。この「世界観」とは、かのチャールス・ダーウィンの理論を人類社会に適用した「卑俗社会ダーヴィニズム」に基づくもので、それによると、人類史は弱肉強食の絶えざる民族闘争の過程にあり、最強のアーリア人種(ドイツ人は、その最も純粋かつ最良の部分である）は、その英雄的勝利者に予定されている。そしてドイツ民族が打倒すべき闘争の目標には、東にスラヴ人種、西にラテン人種の「宿敵」フランスがあった。そしてこれらの敵との戦いは、現実には、ヴェルサイユ体制を力によって打破することを意味していた。

前述したようにヒトラーは、一九二〇年代ナチ党の有能な弁士だった時、あからさまに、新たな戦争を起こす、それはドイツ人が新しい生活空間を征服するためであり、またこの戦争準備に必要な内政外交上の措置をも公言していた。武器をとれとは、『わが闘争』の中でも何度も言及されるスローガンであった。だがドイツ人が一九三三年ヒトラーに政治を任せたのは、ナチスに戦争計画の実行を求めたためではなかった。そこで、一九三三年の選挙でナチスが大躍進すると、ヒトラーの方も、かの「世界観」に基づく政策については口をつぐんだ。そしてワイマール共和国の平和外交を継承すると言うようになった。

そこでヒトラーは、今や責任政党として政権を担うようになったので、現実に即応し、しかも国際政治の舞台では、「素人外交・軍事」の思いつきを逆手にとって次々と成功を納めたのではないか、だがその意表をつく手も、大相撲で言えば小兵の力士が「けたぐり」の奇襲で、たまたま横綱を打ち負かしたようなものではなかったか、という批判も生じよう。

一九五二年当時、ヒトラー伝の極めつきと言われた英国人アラン・ブロックの『ヒトラー、暴君の研究』（大西尹明訳、みすず書房、一九五八年）は、ヒトラーを「無制限の日和見主義者」ととらえ、彼には何ら一貫した政治計画はなく、そのつどの政治権力のため、有利な状況をつかむことに成功したもの、と評している。この見解は『第二次世界大戦前史』（林健太郎、斉藤孝訳、御茶の水書房、一九五八年）の著者、ヴァルター・ホーファーやナチス外交研究で大著のあるボン大学教授のハンス・アドルフ・ヤコブセンにも継承され、ヒトラーは「思いつきの、その時々のインスピレーションによって動いた人物」とされている。

これに対して、ヒトラーは一九二〇年以来、東方における生活空間の獲得という外交政策を堅持したのであって、その目標と方向には一貫性があるとする、英国人トレヴァー・ロウパーの説がある。『ヒトラーの世界観』を著したエバーハルト・イェッケルも、ナチスのドグマである「世界観」と政治指導との一致を主張する。ここから、ヒトラーは、マキャベリストか教条主義者かの論争が生じた。ボン大学のヒルデブラントは、両者の見解を総合した形で、次のように結論している。

ヒトラーには、たしかに日和見的な素質が見られるものの、他方、基本思想および一貫した目標も認められ、その時々に現れる日和見政策はむしろこの基本思想に従属するものと考えるべきである。ヒトラーの基本思想は、『わが闘争』に記されている通りで、その民族闘争の中で、生物学的に最優秀のドイツ民族は、次々と敵を求めて戦わねばならない。この絶えざる闘争は、ヒトラーの言によれば、「世界強国か没落か」つまり「すべてか無か」の永遠の闘争をドイツ人に課するものとなる。そしてこの闘争には、担い手すら統御できないダイナミズムが存在し、ヒトラーに次々と新しい課題、つまり戦争を作らせ、現実外交における「現状維持」を忘れさせた。

清沢洌がすでに、「独裁者はたえず何かしなくては国民を引きつけておくことができぬ」として、「独裁主義」の欠点と危険をそこに見ているのは、鋭い指摘といえる（「ヒットラーはなぜに人気があるか」『中央公論』昭和十三年二月号）。

次は「**ユダヤ人大虐殺は思いつきだったか、否か？**」。

ナチスによるユダヤ人大虐殺が、切羽詰まった思いつきだったのか、あるいは前々からの意図だったのかの問題も、ヒトラー政治の本質と関わってくる。「押収文書」には、ヒトラーがユダヤ人殺害の命令を出した資料は、今日まで発見されていないから、論争はいっそう複雑である。ナチズムの「世界観」では、ユダヤ人は人類の敵、「害虫」なのだから、これをガス噴霧器で殺すのは筋がとおろう。だがドイツ民族の闘争にあっては、敵か味方しか存在せず、「敵は殲滅せよ」ではあるが、最悪の敵ユダヤ人といえども、初めから「集団殺害」(ジェノサイド)の対象とはせず、さしあたっては強制収容所の中で「飼って」労働力として用いるか、ないしは国外に追放してドイツの害毒でなくなればよいものだった。実行できなかったが、マダガスカル島への強制移住計画はその例証であろう。

今日の研究では、ヒトラーが、「ユダヤ人を何とかせよ」といった命令は、初めてソ連領内のユダヤ人に対して、口頭で発せられたとみるものが多い。ドイツ軍がソヴィエトの奥深く進攻し、そこにユダヤ人を強制移住させるはずだったが、一九四一年末、ドイツ軍の進撃は停止し、新たな征服地がなくなると、はじめて邪魔者となったユダヤ人の大量虐殺が「最終解決」の手段となったというのである。「殺せ」という下命が、ヒトラー自らによって発せられたか否かは、解釈が分かれてくる。

ハンス・モムゼンは、命令をヒトラーが出したことを証明するものはなく、「最終解決」を、ヒトラー個人にのみ押しつけるわけにはいかず、多頭支配制の第三帝国にあって、次第に過激化していく複雑な政策決定の過程によるものと判定する。英国のデイヴィット・アーヴィング『ヒトラーの戦争』(赤羽龍夫訳、早川書房、一九八二年)では、ヒトラーがユダヤ人殺害の事実を知ったのは一九四三年になって初めてで、この件を取り仕切っていたのは、SS隊長ヒムラーだとの見解をとるが、これにはドイツの研究者で同意する者は少ない。これに反し、一九七九年に、毎月西ドイツでベストセラーを続けた『ヒトラー註釈』（赤羽龍夫訳『ヒトラーとは何か』草思社、一九七九年）の著者セバスティアン・ハフナーは、次のように考えている。一九四一年十二月五日、ヒトラーは対ソ戦の失敗を自認していたが、日本が八日、真珠湾を攻撃して第二次世界大戦に参加すると、ドイツは、日本との軍事同盟による義務はないのに、対米宣戦に踏み切った。そして翌年一月二十日の「ヴァンゼー会議」で、ユダヤ人問題の最終解決が決定された。この対米宣戦とユダヤ人絶滅計画とは、密接な関係がある。というのは、ヒトラーは、対ソ戦に失敗した上、最強の米国をも敵に回すことによって「世界強国か没落か」のうち、前者をとることの不可能を悟った。そして今まで米国を刺激しないようにとの配慮から遠慮していたユダヤ人の大虐殺を、ソ連領のみならず全ヨーロッパで踏み切ることができたのである。つまり「全てか無か」のうち、無を選択したヒトラーは、死なばもろともと、全ユダヤ人をのみならず全ドイツ人をも道連れにしようと決意した。これによって、彼はドイツ国民を「裏切った」のだった。

次は「**ナチスはドイツの歴史の例外だったか、否か？**」である。

ヒトラー解釈をめぐって、戦後論ぜられた問題点のうち、そのいくつかは、すでに戦前、戦中に提起されたことはすでに触れた。第三帝国に見られる諸現象も、ドイツの歴史的発展の中に位置づけられるという見解も、戦時中、英首相チャーチルらによって唱えられていた。例えばユダヤ人迫害は、古くからあったことだし、ナチスの東方侵略は、第一次世界大戦前のドイツ帝政の「併合主義」を継承したものであり、またヒトラーのもとでの権威主義支配とその政治・社会構造も、ドイツ史をさかのぼれば、すでに多く発見できるというのである。

けれども昔のユダヤ人迫害ではなく、ナチスの手になる「集団殺害」（ジェノサイド）や、「生きるに値しないドイツ人」に安楽死を強制した事実、さらには、生物学的に最優秀なドイツ民族の創造を目指して、典型的なドイツ青年男女を「交配」させて、「新しき人間」を育成する計画などは、どうみてもドイツ史の例外、非連続の部分だという主張は強い。

そこからはまた、歴史における個人の役割を再検討する必要が生じてこよう。昔、社会が単純だった時代では、政治が独裁者や少数の権力者の手で動かされたというのはうなずける。だが二十世紀はどうだろうか。一九六〇年代以来、西ドイツでは、「マルクス主義ルネサンス」が起こり、伝統的史学界の人々からは「ニューレフト」と呼ばれる、若い世代の研究者が輩出した。彼らは、個人よりも、その背景をなす社会の構造や集団としての人民大衆を重視する傾向がある。つまり、急速な工業化の過程にある現代大衆社会にあっては、個々の人間は、その巨大で複雑な歯車装置の一つであるにすぎず、個人が国家・社会に関与する度合いは、せいぜい「調整役」くらいで、「改変作用」までにはならない。ヒトラーといえども、大衆社会状況の鉄則からはみ出ることはないというのである。

だが歴史上の「悪の独裁者」といい、レーニン、毛沢東のような「偉大なる指導者」といい――ヒトラーも「総統」と当時尊敬されたものだが、――強力な政治家は、もともと「首のすげかえ不可能」だからこそ、後の時代になっても、そういう名前がつけられているのではないか。「独裁者」が、革命によらずに、死亡そのほかで別の人物と交代した場合でも、その後の政治・社会が変化することは、スターリン、フランコ、毛沢東の死後を考えればすぐにわかることである。今日、「歴史を創造するのは人民大衆である」というテーゼは、「革新的」な陣営の中で強く主張されている。とはいえ人民はそれを自覚して「闘争」するとは限らないから、偉大なる「革命」のため、党の指導は不可欠であり、またその党には「偉大なる指導者」が必要だともいう。だがその論理なら、ナチスも絶叫調で叫んでいた。

偉大なる指導者スターリンや毛沢東も誤りを犯したことは認められている。ヒトラーは「負けた」からすべて悪く、スターリンは「勝ち抜いた」から、少し悪く大部分は良いという判断は、まさに「勝てば官軍」の論理であまりにも単純すぎはしないだろうか。しかもその「少し悪い」ことの中に、何百万といわれる犠牲者を出した大粛清があり、処刑後、ずっと後になって「名誉回復」されたとしても、それで「ほとけ」は浮かばれるのだろうか。

フロムの言うように、ヒトラーは人間として、たしかに悪しき変質者のようだ。そういう人間が独裁者となり、「変質」が政治にも反映したら、それこそたまらない。――こうしてみると、政見もいい、実行力もあるなど、政治家として評価する前に、人間としての善悪、正常異常を見定める方が先のようだ。――現代でも、左翼にせよ右翼にせよ、いったん独裁社会が現出すると、平和的な「自浄」の作用は不可能なのだから、民主主義を守ろうとするならば、独裁者の出現の予防が何よりも重要なことと思われる。

12　第二次世界大戦の展開と終局

一九三三年一月三十日、ヒンデンブルク大統領によって首相に任命されたヒトラーは、「平和演説」を行い、戦後、平和と安定を求めていたドイツ国民の希望に応える態度を取った。同年七月二十日、ヒトラーは、ローマ教皇庁と政教条約を結んだが、これも彼の平和外交の証と受け取られた。この頃、国際情勢はドイツにとって不利ではなく、ヨーロッパ諸国のうち、ドイツに敵意を抱き、心あるドイツ人を不安にさせていたのはポーランドのみであった。ヒトラーは、ナチズムにとって敵であるはずのスラヴ人種のこの国と、翌年一月二十六日、不可侵条約を締結したが、これもヒトラーは平和路線を実証したかに見えた。

一九三四年八月二日、ヒンデンブルク大統領の死後、ヒトラーは「総統」と称して独裁者となり、翌年には、ヴェルサイユ条約の軍事条項を破棄して再軍備を公然のものとし、徴兵制をも復活させた。しかしこれは、ドイツが強国の一つになった証として非難されることはなかった。英国は同年、ドイツと海軍協定を結び、この国の再軍備を容認した。一九三六年、ベルリンでオリンピックが開かれたことも、平和の象徴のように感じられた。

一九三七年一月三十日、ヒトラーはヴェルサイユ条約の無効を宣言した。この時すでにスペイン内乱が始まっていたが、フランコ将軍を支援するナチ・ドイツの空軍機は、四月二十六日、スペインのゲルニカを無差別爆撃して、すでにナチスの非人道行為を暴露している。

同年十一月五日、ヒトラーは、軍、政府の最高幹部を集めて、ドイツ国民にはおくびにも出さなかった戦争計画を明言した。この会議を示す史料は、今日、同席した副官の書き残した「ホスバッハ覚書」として知られている。ヒトラーの戦争の危険を冒す意思表明に対し、ナチ党員でない軍部は、反対の意向を明言した。するとヒトラーは、陸相ブロンベルク、陸軍最高司令官フリッチュに対し、二人ともスキャンダルなどの理由をつけて罷免し、自ら陸相となり、国防軍を改め、国防軍最高司令部を新設した。また外相には、ノイラートに代えてナチ党員のリッベントロップを任命した。かくして、ドイツの軍と外交は、完全にナチスの支配下に入ったのである。

一九三八年三月十一日、ドイツ軍はオーストリアに進駐し、十三日、この国はドイツに併合された。すでにそこには、ナチスに傾倒する国民も少なからず存在していたから、この「併合」は、激しい反対もなく終わった。ヒトラーの見解からすると、ドイツ語を話すスイスの東部も、ドイツに併合されるべきであるが、この国は、西部や南部にフランス語やイタリア語などを話す国民からなる統一国家であり、しかも国際的に認められた永世中立国であるので、あえて併合は強行されなかった。

五月三十日、ヒトラーはチェコスロバキア攻撃を決意する。この時も、ほとんど全ての上級の将軍たちは、ドイツには軍事的、経済的に、大規模な戦争をする力がないとの意見であった。国防軍参謀総長ベックは辞職するに至り、この時も、密かにクーデターの試みが生じた。しかし、この国際問題のために、ミュンヘン会談が開催され、英・仏・伊・独間の妥協が成立した。それはチェコスロバキアの中で、ドイツ人が多く住むズデーテンランドのみが、ドイツに併合されたのである。これは、ヒトラー外交の勝利として、ドイツ国民は歓喜の声をあげる結果となった。この時ヒトラーの脅しに屈したと思われた、英首相チェンバレンの「宥和政策」は、今日、外交上の大失敗とされている。だがこれは、ヒトラーの開戦をもって脅した主張に対して取った、彼の平和外交の試みであった。その見解によれば、ドイツ統一を完成させた、かつての普仏戦争において、ドイツはフランスから、アルザス、ロレーヌを奪取し、フランス国民のドイツに対する復讐心をあおり立てる結果になったが、もしこの後、ドイツが和解のために、全住民がフランス語を話すロレーヌ地方を返還したとすれば、第一次世界大戦前の両国の先鋭な対立はあり得なかったであろうという、チェンバレン一流の考え方によるものであった。彼には、あくまで戦争を手段とするヒトラーの真意に気がつかなかったのである。

ヒトラーの領土拡張欲は、これにとどまらなかった。彼は、世界大戦の悲劇を目撃した後でも、戦争によってドイツの強大化を計ろうとする。なぜそのような信念が生き続けたのであろうか。

それはヒトラーが、巧みな演説で繰り返し強調するナチズムの「世界観」によっていた。この「世界観」には、次の三つの特色が見出せる。

その第一は、人類の歴史は、絶えざる民族闘争の歴史であるという見解である。そこには、ダーウィニズムを人間社会に当てはめた「社会ダーウィニズム」への転用がある。かの「適者生存」には、強い民族こそ戦争によって勝利を収め、支配者になるとの信念があった。

第二には、特有な人種論がある。人種とは、生物学的な分類方法で、皮膚の色や毛髪によって、白色人種、黄色人種、黒色人種に分けられるが、ヒトラーによれば、皮膚が白く、金髪波毛の白色人種、その中でもゲルマン民族こそ最高という確信である。白人は文明創造の人種であり、黄色人種は、かつての文化を保持するのみであり、黒人は文明を有たない者と断じられた。さらにヨーロッパに散在するユダヤ人は、人間社会の寄生虫、害虫と卑しめられた。これは、ヨーロッパ中世以来、「祈れ、働け」というキリスト教倫理にもとる「金融業」によって、彼らが富裕になったという事実に対する妬みもあったと思われる。ユダヤ人を人間扱いせず、害虫とするならば、後のアウシュヴィッツでのように、ガスで殺される悲劇も当然と考えられよう。

第三の世界観は、ドイツ人が生きるための、より大きな「生存圏」を獲得すべきであるという信念である。ドイツ人は、十九世紀には、海外に新しい土地を求めて米国やブラジル等に移住したが、今やドイツは、その領土をドイツ本土と地続きの東（スラヴの地）に拡大すべきものと考えられた。そこには、スラヴ人やユダヤ人が住んでいるが、スラヴ人は、さらに東方に追放され、ユダヤ人も同様であるが、抵抗すれば抹殺すら躊躇しないという方針であった。

一九三九年三月十五日、チェコ人の住むボヘミアもドイツ領となり、チェコスロバキアは解体され、スロバキアのみが、ドイツの下で自治が許された。また第一次世界大戦後、リトアニア領となっていたメーメルも、三月二十三日、ドイツに併合された。

次にヒトラーが要求したところはポーランドである。ポーランドは、ヴェルサイユ条約によって独立し、その領域は、帝政ロシア領からその西の部分を、ドイツから東の部分を割譲されて成り立っていた。一九三九年三月二十一日、ヒトラーは、ドイツ領の東プロイセンとドイツ本国とを切り離している「回廊」と呼ばれる地と、旧ドイツ領で、現ポーランドの支配する海港都市ダンツィヒの返還を要求した。二十六日、これが拒否されると、四月二十八日、ヒトラーは、ポーランドとの不可侵条約と英独海軍協定を破棄した。他方ヒトラーは、スターリンに接近して、七月十九日、独ソ通商条約、さらに八月二十三日に不可侵条約を締結し、しかもその秘密議定書には東ヨーロッパにおける両国の勢力範囲まで決めていた。九月一日、ドイツ軍がポーランドに侵入し始めると、すでにポーランドと軍事同盟を締結していた英国はフランスと共に、ドイツに対しポーランドからの即時撤収を要求した。ドイツがこれを拒否すると、三日、英仏両国はドイツに対して宣戦布告し、ここに第二次世界大戦が開幕したのである。ドイツ軍が「電撃戦」によって、首都ワルシャワを包囲すると、ソ連軍は、これに呼応するかのように、十七日、ポーランド東部に侵入し、独ソ両国によるこの国の分割が強行された。ポーランド軍の最後の抵抗は十月六日に終わった。

再び世界大戦が起こった事実に、ドイツ国民は、歓呼の声をあげるどころか、憂慮に満ちた面持ちであったとスイスの九月五日付の新聞が報じている。しかしドイツ軍のポーランド侵攻は、四週間足らずで勝利のうちに終わり、ドイツ国民は、ヒトラーの手腕に驚嘆した。その後、英仏両国は、宣戦布告したものの戦闘は起こらず、「奇妙な戦争」という状態が七カ月も続いた。

その後もヒトラーはさらなる戦争を決意していた。その必然性は、民族間の闘争の歴史において最優秀のドイツ国民は、次々と敵を求めて戦わねばならないからである。この絶えざる闘争は、ヒトラーの言によれば「世界強国か没落か」、つまり「全てか無か」の永遠の闘争をドイツ人に課するものとなる。しかもこの闘争には、担い手すら統御できないダイナミズムが存在し、ヒトラーは、次々と新しい課題＝戦争を作り、現実外交に見られる「現状維持」を忘れさせるのである。この永遠の闘争は、ヒトラーの「四段階計画」に示されていた。その第一は、中欧における強国の地位の再建、第二はヨーロッパ大陸の覇権、第三は海外進出して名実ともに世界強国となる。第四は旧大陸ドイツと新大陸アメリカとの世界支配をめぐる決戦であった（クラウス・ヒルデブラント著、中井晶夫、義井博訳『ヒトラーと第三帝国』南窓社、一九八七年、八七頁以降）。

一九四〇年になると、ヒトラーは第二の段階に突入した。四月、デンマーク、ノルウェー無血占領、五月には、オランダ、ベルギーも占領、大陸に派遣されていた英国軍を本土に追放した。「ダンケルクの悲劇」である。五月十日、対フランス作戦が開始され十四日、パリ占領、二十二日には休戦協定が成立した。ヒトラーにとって得意絶頂の「電撃戦」の勝利であった。かくして彼は、ドイツ人大衆によって唯一の救済者にまで高められたのである。

次は英国打倒である。アングロサクソンの英国は、同じゲルマン系で友邦のはずなのに、ドイツに刃を向けている。ヒトラーは、英国との和解を提案したが、英国首相ウィンストン・チャーチルは、ヒトラーという「凶悪、過去の不正と恥辱が産み落とした化け物」を抹殺しない限り、英国は努力を止めないと誓った。英国の敵意を知ったヒトラーは、「あしか作戦」と称して英本土上陸も考えたが、強大な英国海軍の存在のため、実行できなかった。そこでこれに先立ち、八月、空軍による英本土の爆撃が実施された。しかし英軍戦闘機の反撃すさまじく、ドイツ爆撃機は撃墜されるもの多く、九月十五日、英国空軍の勝利に終わった。この戦闘は「バトルオブブリテン」として、記憶に残されている。ドイツ軍は、初めて勝利しなかったのである。

イタリアは、一九三九年五月二十二日、ドイツと軍事同盟（鋼鉄同盟）条約に調印、ここにベルリン・ローマ枢軸が完成した。しかし第二次世界大戦の開始に際しては、中立を宣言していたが、ナチス・ドイツ軍の連戦連勝中の一九四〇年三月十八日、ムッソリーニはヒトラーと会見、参戦へと方向転換した。英仏両国に宣戦布告したのは、六月十日である。九月二十七日には日独伊三国同盟が締結され、さらに日本が対米英宣戦布告をすると、三日後にはドイツと共に、第二次世界大戦に参入することになった。イタリア軍は、六月すでに占領していたエチオピアから英領ケニアに侵攻、七月にスーダン、八月ソマリランド、十月にはギリシャに侵入したが、苦戦を強いられた。十二月九日以降、英軍は反撃に転じ、翌年一月には、イタリア領リビアのトブルクを占領するに至った。ここでヒトラーは、イタリア軍援助を決めて、二月十一日名将ロンメル麾下のドイツ軍を送り、三月十五日より四月末まで、連合国軍と枢軸軍との死闘が続いた。バルカン半島では、ドイツを主力とする枢軸国軍は、ユーゴースラヴィア、ギリシャに侵入して勝利を収め、その結果、四月十七日ユーゴ軍が、二十三日にはギリシャ軍が降伏している。

その間、ヒトラーは、対ソ作戦を決意していた。「バルバロッサ作戦」と称するソヴィエト連邦攻撃の準備を指令したのは、一九四〇年十二月十八日である。この時点で、ドイツ軍はほかの戦線（北アフリカ、バルカン半島）でも戦っていた。一度に多方面での戦闘は、ヒトラーが取っている「各個撃破」の方針にも反している。ドイツ陸軍幹部は、この新たな作戦に反対であったと思われる。しかしヒトラーは、今まで反対された全ての戦闘に驚異的な勝利を収めたことに自信をもっていた。そしてすべての開戦を「冒険」Risikoとして、その敢行を強いたのである。それはまた、危険な賭けとも言うべきであろう。しかし、今度も必勝だと、ヒトラーは、全国民に信じ込ませたのである。

ドイツ軍が宣戦布告なしにソ連に侵攻したのは、一九四一年六月二十二日である。半年前の二月十一日には、独ソ通商協定が結ばれていたから、このドイツの襲来はスターリンにとって、寝耳に水の事件であった。先手を取ってドイツ軍は、みるみる東へ進撃した。ヒトラーは、かつてナポレオンがなし得なかった遠征を、精鋭のドイツ軍が貫徹すると、得意満面であったことだろう。スターリンは、今まで弾圧していたロシア正教徒をはじめ全ロシア国民に、愛国者として「大祖国防衛戦争」への参加を訴えた。英国は大の共産主義嫌いにもかかわらず、七月十二日、ソ連と軍事同盟を結ぶ。米国も、ソ連には全く不信を抱いていたが、もしソ連が敗北したら英国も危ない、そして米国にも向かってくる。ソ連がどこまで耐えるかが問題と考え、七月、特使ホプキンスをモスクワに派遣した。そこで彼は、ソ連軍の不屈の闘志を見出した。またソ連側は米国に第二戦線の結成を要求してきた。ホプキンスは帰路、英国を訪問し、ここにドイツ対米英ソの戦闘という、第一次世界大戦と同様のドイツ必敗の構図が生じたのである。ドイツ軍が首都モスクワ寸前に達したのは、同年十月である。しかし十二月五日、ドイツ軍の最後の首都攻撃は失敗に終わった。そして十五日以降、ソ連軍の冬季攻勢が始まったのである。ドイツ軍は初めて退却した。

十二月八日、日本は米英に対して宣戦布告した。その三日後、独伊両国も対米宣戦布告となった。ヒトラーは、この時、対ソ戦に失敗した上、最強の米国をも敵に回すことによって、かねてからの信念であった「世界強国か没落か」のうち、前者を取ることの不可能を悟ったかとさえ感じられる。それゆえ、今まで米国を刺激しないようにとの配慮から遠慮していたユダヤ人の大虐殺を、ソ連領のみならず全ヨーロッパで踏み切ることができたと考えられる。

一九四二年一月十八日、日独伊軍事協定が締結され、四月二十九日にはヒトラーとムッソリーニとの会談によって、北アフリカ戦線の状況が討議された。ヒトラーはこの時より、ドイツ軍の戦闘の重点をソ連東南部に置き、北アフリカ戦線は、主としてイタリア軍にその担当を求めた。するとこの年の後半に入って十月には、米英軍が北アフリカ上陸し、十一月四日、エルアラメインの戦闘で独伊の「枢軸軍」は敗北を喫した。他方、四月からソ連南部で展開されたナチ・ドイツ軍の攻勢は、凄惨を極め、八月二十二日より、精鋭の第六軍はスターリングラードに到達した。しかし、六月から開始されたソ連軍の反攻も物凄く、十月十九日から始まったスターリングラードをめぐる攻防戦では、一九四三年二月二日、ついに独軍が降伏し、東部戦線におけるソ連軍の勝利は決定的となった。この独ソ戦こそ、人類史上、最大の惨劇と記録されるものであった。

北アフリカでの戦闘は、五月十三日「枢軸軍」が降伏して終局となった。するとヒトラーは、七月二十日ムッソリーニと会見して、ドイツ軍のイタリア援助を拒否するに至った。すると四日後、イタリア国王と貴族軍人たちによるクーデターが生じ、ムッソリーニは逮捕される。新しいバドリオ政権は、九月三日連合軍がイタリア本土に上陸するのを見ると、五日後には降伏し、休戦協定の後は、連合国側に鞍替えしてナチスに敵対することになった。するとナチス軍は、北イタリアでムッソリーニを救出して、新政権を作らせたが、これは全く無駄な試みであった。

一九四四年に入ると、三月、米空軍のベルリン空襲が始まり、六月六日には連合軍がノルマンディー上陸、東進して、九月にはドイツの西部国境を突破した。ソ連軍も、六月から総攻撃を開始、東プロイセンからドイツに侵入してきた。ドイツの敗北は、誰の目にも明らかであった。七月二十日、シュタウフェンベルク大佐らによるヒトラー暗殺事件が起こった。成功すれば、ドイツ軍のクーデターによって、ナチス打倒が実現するはずであったが、ヒトラーは死を免れ、この試みは失敗に終わった。しかし一般ドイツ民衆は、なおヒトラーとナチスにすがる思いであった。その後、ナチスと・ドイツの敗北、崩壊が明白になった一九四五年三月十九日、ヒトラーはいわゆる「ネロ命令」によって、連合軍に侵入されたドイツ全土の破壊、焦土を命じた。これは実施されなかったが、ヒトラーは、自身とナチ党員のみならず、全ドイツ人を道連れに、全ドイツの滅亡を決意したのである。

世界強国への道を諦めたヒトラーは、ついにドイツ国民と無理心中を決意したのであろうか。もしそうなら彼は、ドイツ国民が当然と思っていた愛国者ではなくなってしまう。

ヒトラーは、偉大なるドイツについて語ったことはあるが、愛する祖国、愛するドイツ人について語ったことはない。それどころか、戦争中の談話では、「自分は氷のように冷たい。ドイツ国民が自己保存のため全力を投入する用意がないのであれば、ドイツ国民が地上から消え去るのも結構なことだ」と言ってのけている。ヘルマン・ラウシュニンクも、一九三二年『ヒトラーとの対話』（船戸満之訳、学芸書林、一九七二年）の中で、この独裁者の性格にニヒリズムを認めている。また哲学者・心理学者のエーリヒ・フロムによれば、ヒトラーが真に愛したものは、ドイツ民族や国家ではなく、自己（ナルシシズム）と死と破壊（ネクロフィリア）であるという。ヒトラーは青年時代、ワーグナーに熱狂した。楽劇『ニーベルンゲンの指輪』の中で、かのブルグンド王国の人々が「死の国々の人々＝ニーベルンゲン」の名にふさわしく、一人残らず死の国に旅立ってしまう大団円を、彼は人生の終わりに臨んで、自分とドイツ国民の運命として、重ね合わせて見ていたのであろうか。

13　日本、第二次世界大戦に参入

①　開戦の日の思い出

一九四一年十二月八日、日本は米英両国に宣戦布告し、文字通り第二次世界大戦に参入した。この時、筆者は東京府立六中（現在・都立新宿高校）の三年生であった。朝八時過ぎ、登校して教室に入ると、生徒たちががやがやと話し合っている。戦争になったというのである。

級友の今井只彦君に何が起きたのかと尋ねると、今朝七時過ぎの臨時ニュースで聞いた。「帝国陸海軍は、西太平洋上において、米英軍と戦闘状態に入れり」と放送していたという。

午前九時前、突然校内放送で、全生徒は朝礼の形で校庭に集まれとの指示があった。整列し終わると、壇上に上がったN校長は、満面に笑みを浮かべて、「ついに来たるべきものが来た。わが日本は米英と戦争になった」と告げた。この時まだ、日本海軍の真珠湾攻撃は知らされていなかった。ただ日本軍は、上海にあった米国砲艦ペトレル号を撃沈したと、校長は、最初の血祭りとばかり、その勝利を誇らしげに語った。九時、宣戦の詔勅がラジオで放送されるというので、全生徒が授業を中断して集合したのだったが、これが正午に延期されたので、すぐに解散となった。だがその直前、国語漢文担当の岡本優太郎先生が（この方は色浅黒く、痩身、中老の先生だった）、突然無断で壇上に上がって、すこぶる厳しい顔で、「いよいよ日本は、米英という大国と戦争することになった。日本はすでに、シナと四年間にわたって戦い、これはまだ解決していない。さらに今、シナとは比較にならない大国と戦争するのである。我々は重大な決意で事に当たらねばならない」と述べた。N校長のように喜んでいる事態ではないと、批判しているようであった。生徒一同は、あっけにとられた面持ちで各教室に戻っていった。岡本先生のように、現況を冷静に考えている人物は例外であった。当時、ほとんど全ての日本人は、国定教科書による日本史の授業によって、日本はかつて外国と戦って敗れたことがなく、ことに明治以後、日清、日露の戦争から、日本軍は輝かしい勝利の栄光に包まれていると、教えられていたからである。

正午、ラジオで宣戦の詔勅が放送された後、東条首相の放送があった。「只今、宣戦の大詔が渙発せられました。精鋭なるわが陸海軍は、今や決死の戦いを行いつつあります」と述べた後、過般来《かはんらい》、政府は米国政府と折衝を続けてきたが、米国はいわゆる「ハルノート」を突きつけてきた。すなわち「わが軍のシナ大陸、仏領インドシナからの全面的撤兵、南京政府（汪兆銘政権）の否認、三国同盟の破棄」を要求したのである。これは、当時の帝国政府にとって、全面的譲歩、敗退を意味した。東条首相は、一段と声を強めて、「事ここに至りましては」と独特のアクセントで述べ、開戦のやむなきに至ったことを、全国民に訴えたのである。ほとんど全日本国民は、来たるべきものが来たと悟った。

すでにここに至るまで、この年の四月から、駐米大使の海軍大将野村吉三郎と米国のハル国務長官との間で、さらに外務官僚来栖三郎も特派されて加わり、日米間の特別な折衝が続けられていた。

昭和天皇は、この会談に最後の平和の希望を託されていたと思われる。天皇は、皇太子の時代にヨーロッパを旅行し、英国の王室とは、特に親密な関係を結んだ。また、第一次世界大戦において、最も悲惨な戦闘であったヴェルダンの古戦場を見学し、戦争の悲惨さを身をもって観察した。天皇は、首尾一貫した平和主義者となっていた。だが政府、軍部の意向に逆らって、天皇個人の意向として反戦平和の決定はできなかった。当時の「大日本帝国憲法」によって、国家統治、宣戦講和は、天皇がこれを行うが、その責任は天皇になく、臣下である政府、軍部が「輔弼の責任を負う」のである。昭和天皇は、それゆえ、一九四五年の終戦の日まで、自らの真意に逆らう決定を下し続け、苦痛の日々を送ったということになる。

すでに米国は八月一日、日本への石油輸出を禁止していた。これはまさに日本にとって、命取りにほかならない。この問題が解決できなければ、日本は短期決戦の勝負に打って出て勝つか、それが不可能なれば、東南アジアに進出して、スマトラ、ボルネオの石油資源を確保して長期戦に備えるしかない。これは、まさに決死の前進であり、もし失敗すれば、大日本帝国の崩壊をも予期すべき大冒険であった。東条首相の発言に示される「開戦論」は、かつての第一次世界大戦の際の「前方脱出論」にあたると言えよう。

だが当時の日本海軍部の開戦への決意は、異なったものであった。今ここで、さらに米英両国と戦うことには懐疑的であった。すでに一九四〇年の頃、米内海相、山本次官、井上軍務局長の三人は、日本のドイツ、イタリアとの「三国同盟」締結に断固反対の態度を堅持していた。軍令部総長永野修身をはじめほかの海軍首脳部も、開戦には消極的な態度であったが、膨大な海軍予算を要求し、ことに超弩級戦艦の大和など、戦力増強に努めている以上、米国とは戦えない、勝てる自信はないとは言えなかった。一九四一年、永野は賀屋興宣蔵相との会話の中で、米国艦隊と日本海軍との艦艇比率は、今、十対七として、帝国海軍の伝統的な卓越した作戦と訓練により、今、戦って勝算ありとするも、彼我の工業力の差から、時が経つにつれ、その戦力の差は大きくなり、日本軍は決定的に不利になる。しかし、米国と必然的に戦わねばならぬ運命とすれば、「戦機は今」と言わざるを得ない。これが永野らの開戦理由とすれば、「予防戦争論」が唱えられたことになる。次に連合艦隊司令長官山本五十六が強く主張した真珠湾攻撃の動機である。山本は以前、近衛首相に、「対米戦になれば、六カ月や一年は暴れて見せる」と語った。これは短期決戦の意志表明であり、そのためには、真珠湾にある米国艦隊を一気に撃滅する方策が必要なのであろう。山本の「暴れて見せる」の言葉は、必勝を約束したものではない。それは真珠湾の米国艦隊の壊滅に成功するか否か、また米国がこの攻撃に対してどう出るかが次の問題なのである。それゆえ、これは冒険であり、一か八かの賭けであるから、彼は「力試し論」を唱えたと言えるのではないか。

陸軍にも、四年にわたる中国での戦闘を全く未解決のまま、さらに米英との戦争に入ることを憂慮した将軍たちが存在したことは、すでに言及した。しかし中堅以下の若い将校たちは対米英戦を歓迎した。彼らは、日露戦争以来、「無敵の皇軍」の伝統を信じ、必勝の信念をもってことに当たれば、自ずから日本の運命は開けると確信していたのである

②　緒戦の連戦連勝と「戦争目的」の公表

日本海軍は、十二月八日、真珠湾の米国艦隊を攻撃し、戦艦五隻撃沈など、敵太平洋艦隊を撃滅したとの威勢のいいニュースが公表された。もっとも真珠湾は水深が浅いので、完全に破壊され、沈没したのは、戦艦アリゾナ、ユタのみで、ウェストヴァージニアなど浮上させて、戦闘に復帰したものもあり、また空母機動部隊は、その時湾外に出ていたから、日本海軍が獲得した戦果は、実は理想とはほど遠いものであった。だが十二月十日、マレイ半島に上陸中の日本軍輸送船団に対して出撃してきた英国東洋艦隊の新鋭戦艦プリンス・オブ・ウェールズと巡洋戦艦レパルスが、海軍の陸上攻撃機隊によって撃沈されたというニュースが続いた。その後の日本陸海軍は、まさに破竹の勢いであった。事実、開戦から半年間の日本軍の勝利はめざましかった。十二月二十五日、英領香港占領、次いでマレイ半島に上陸、南下した山下兵団は、一九四二年二月二十五日シンガポールを攻略した。さらに三月にはオランダ領インド（インドネシア）も日本軍の手中に収まった。さらに五月、南半球のビスマルク諸島にあるラバウルを占領し、ニューギニア方面にも進出して、米豪遮断作戦をも開始する勢いであった。

この緒戦の輝かしい勝利の日々の中で、日本政府は、この戦争を「大東亜戦争」と称すると発表した。この命名は、当時の日本にとっての戦争目的を明らかにするものである。すなわち、欧米「白人」による植民地支配から東アジアを解放して、大日本帝国指導下の「大東亜共栄圏」の実現である。事実、フィリピンとビルマ（ミャンマー）は、日本軍の占領下ではあるが、大統領、国家代表の下の独立国と宣言された。そのほかの地方も、漸次自治独立へと進み、東アジア全体が「共存共栄」の王道楽土とするのが理想であった。もっとも、占領したシンガポールは、「昭南特別市」として日本直轄の領土とし、大東亜における日本の監督の中心とするもののようであった。こうして日本は大東亜を支配下に置き、自給自足の体制を整えるものと考えられたのである。

緒戦以来、一年足らずのうちに、日本人の眼には連戦連勝、東アジアの英、米、仏、蘭の領土であった各地の多くが、日本軍の占領下に置かれた。そこで日本政府は、これら欧米の植民地であった各地の住民に、戦後、独立の希望を与えた。だが、それらの地の多くは、日本軍の攻撃によって破壊され、しかも進駐日本軍のための食糧そのほかが、現地調達されたから、現地住民の生活は、かつての「帝国主義」の植民地時代と何ら変わらない搾取と感じられた。

そこで日本政府は、日本軍の東亜進出の意義を、現地住民や全世界に宣伝する意味を含めて、一九四三年十一月、各地から現地人代表を東京に集めて「大東亜会議」を開催した。参加者は、日本の東条首相、中国からは、重慶の政権から離れて日本軍に協力する在南京の行政院長汪兆銘、タイからは、ワン＝ワイタヤコン親王、満洲から張景恵国務総理、すでに独立したフィリピンのラウレル大統領、同じくビルマ（現ミャンマー）のバーモ代表、それにオブザーバーとして、インド仮政府首班スバス・チャンドラ・ボースであった。そこで「大東亜共同宣言」が採択された。ただこの時、日本軍の圧倒的な勝利の時代は終わっており、今後の展望に疑念を抱いていた者も存在したであろう。タイからは、ピブン首相が来日せず、王族の一人が代わって来たのもそのようなためかと感じられる。

ビルマ一行の随員に、今日のミャンマー政府の代表アウンサン・スーチーの父（当時はオンサン将軍と呼ばれていた）がいた。筆者はこのビルマ代表を、明治神宮前で目撃したことを記憶している。独特のビルマの服装で、特にオンサン将軍は鋭い目付きをしていた。

それより二年前の開戦直後、すでにタイ国に進駐していた日本軍が、英領ビルマに侵入すると、アウンサンは独立義勇軍を結成して日本軍に協力、一九四二年三月、英国勢力を駆逐し、翌年八月バーモを国家代表とする独立国が宣言されると、アウンサンは国防相になった。だが間もなく彼は、日本軍の占領政策に失望し、一九四四年、日本軍のインパール作戦失敗後は、抗日武力闘争に転じ、現バーモ政権をクーデターで打倒し、一九四五年三月、連合軍の攻勢に呼応して、五月には首都ラングーンを占領した。だが英国政府は、戦後ミャンマー独立をすぐには認めず、九月再び英領植民地に戻した。そこで再び激しい独立運動が再燃した。一九四七年、英国政府は全世界の旧植民地独立の風潮に抗しきれず、一九四七年七月妥協が成立、翌年ビルマの独立が約束された。正式に独立の決定を見たのは、一九四八年一月四日である。だがそれに先立って、彼は前年七月、祖国の独立を見る前に暗殺された。しかし彼は、国民の中で長く記憶に残り、その肖像画は今日、紙幣に使われている。

インドの代表チャンドラ・ボースは、ガンジーらの無抵抗主義のインド独立運動と違って、武力行使を含むあらゆる手段でのインド独立を主唱する人物として、すでに有名であった。

ヨーロッパにあって運動していたが、秘かに来日し、世界を驚かせたが、この時すでに、日本の実力には絶望的であった。彼は、一九四五年八月、台湾で飛行機事故により死亡した。インド独立後の一九五七年、ネール首相が来日した時、ボースの行動を追憶して、「彼は偉大な愛国者であった」と述べていたのが注目される。

一九四五年八月、大戦が日本の敗北に終わると、当時の日本の指導者たちは、「極東国際軍事裁判」において、被告の立場にされた。彼らは、自国の利益のため、東アジアでの侵略戦争をあえて行い、しかもその際、残虐な殺人、搾取をはじめ、多くの非人道的行為の責任者とされた。被告となった彼らの弁論では、戦争直前の日米会談における米国側の要求は、日本の到底受け入れられない内容で、日本は国家存立のため、開戦せざるを得ない旨が強調された。かくて日本政府が声高に強調していた「大東亜共栄圏」の理想は、誰の口の端にも乗らなくなった。この第二次世界大戦において、日本はかつての十九世紀の西欧による「帝国主義侵略」を東アジアで再現を試みたのだ、と解釈されるだけになったのである。

③　ミッドウェイ海戦以後の日本

日本陸海軍の成果は、開戦後六カ月の間は華々しいものがあったが、一九四二年六月五日のミッドウェイ海戦で惨敗を喫した。米国艦隊の損害は空母ヨークタウン沈没のみであったが、日本海軍は、航空母艦四隻を失って、何の目的も果たせずに終わったのである。しかし、当時の大本営発表では、米空母二隻撃沈とし、わが方の損害は、空母一隻喪失、一隻大破とされた。その後、海軍報道部課長平出大佐のラジオ解説では、まさに、これは肉を切らせて骨を切る戦いであり、沈没した空母に残った司令官山口少将、艦長加来大佐が従容として艦と運命を共にした行動が、聴取した人々に深い感銘を与えた。ここに尊い犠牲の上に築かれた勝利の印象が生まれたのである。

その後の六カ月間、つまり一九四二年末まで、日米の戦闘は激烈で、ほぼ互角の様相に見えた。しかし双方の損害が同等であれば、戦局の不利は日本に及んでくる。同年十月から二カ月に及ぶソロモン諸島のガダルカナル島の戦闘で、日本軍はついに敗退した。これ以後、日本軍の前進はなかった。しかし一九四三年二月一日の大本営発表は、敗れて退却したとは言わず、「すでに初期の目的を達成したるをもって、同島より転進せしめたり」であった。

その後、日本軍は敗北しても、大本営発表は決して真実を告げなくなった。例えば、北のアッツ島における戦闘では、日本軍二千の守備隊は、米軍二万の攻撃に対して、勇戦敢闘の後、「玉砕」したと発表された。「玉砕」とは敗れて全滅を意味するが、大本営発表は、これが最後の勝利のための尊い犠牲と印象づけようとしたのである。

開戦から「半年は暴れて見せる」と言った山本五十六連合艦隊司令長官が戦死したのは、一九四三年四月十八日である。彼は最前線のソロモン諸島方面の視察のため飛行中、米軍戦闘機に遭遇、撃墜されたのである。ミッドウェイ海戦の敗北からこの日まで、彼は、あるいは絶望の思いを強いられていたかも知れない。この情報を得た在東京ドイツ大使館の武官は、日本軍の暗号電報が米軍に解読されているのではないかと告げたが、日本側は、それを強く否定している。だが実は、この予想通りであった。この事実が、その後の日米間の戦闘に大きく影響したことは言うまでもない。同年十一月二十五日には、英領ギルバート諸島のマキン、タラワ両島にあった海軍守備隊が玉砕した。一九四四年に入ると、二月六日、日本領のマーシャル諸島のクエゼリン、ルオット両島でも全滅した。そして同月十七日、米機動部隊は、トラック島の海軍基地を攻撃して壊滅的な損害を与えた。その後も「飛び石作戦」によって、進攻を重ねてきた米軍は、六月十五日サイパン島に上陸した。首相・陸相を兼ねていた東条大将は、サイパンは絶対に死守できると豪語していたが、七月七日には玉砕した。これによって、同島から日本本土への爆撃も可能になった。

ここで、東条内閣は総辞職した。この時すでに、戦争指導の枢要にあった人々の下では、冷静に考えて日本の勝利は絶望と感じた者もいた。事実、次の小磯・米内内閣では、秘かに和平の可能性を模索していたが、一般国民には「聖戦完遂」が説かれ、少しでも日本の勝利を悲観視するものは、敗北主義者として弾劾された。勝利の可能性は、米軍に多大の戦果（膨大な戦死傷者）をあげれば、米国内の世論は、このような損害を出してまで、日本と戦う意味はないと、戦闘を打ち切るであろうという望みしかなかった。だが米国の世論は、「真珠湾を忘れるな」の標語の下で沸き立っており、また一九四三年一月のカサブランカ会談において、米英は枢軸国に無条件降伏の要求を決定し、さらに同年十一月のカイロ会談では、米・英・中国の三国は、日本の無条件降伏まで戦うと宣言、さらに一九四五年七月二十六日には、同じく三国によるポツダム宣言によって、日本に無条件降伏を要求しているから、米国が先に対日戦を中断することなど、まさにはかない夢だったのである。

一九四五年一月十八日、日本の大本営は「本土決戦」に向けての戦争指導を決定した。

三月九日夜の東京大空襲以後、日本の主要都市は米空軍の焼夷弾によって焦土と化した。すでに日本では開戦以前から、防空演習がしきりに行われてはいた。油脂焼夷弾が落ちたら、水をかけるだけでなく、竹の棒の先に水で濡らした縄を縛り付け、火を削り消し止めるというのであった。だがあまりにも多量の爆弾の雨には、防空演習など何の役にも立たなかった。筆者はこの時、東京の渋谷に住んでいて、その後の四月十五日、五月二十五日の三度の空襲を体験している。大空が東西南北、隅から隅まで真っ赤で、恐怖を感じるより、全く経験したことのない情景に無言で立ち尽くしたことが思い出される。

一九三九年、ヨーロッパで第二次世界大戦が始まって以来、日本の政府と軍部は、「総力戦」の語によって、軍人のみならず、老若男女すべての国民が戦争に参加することを説いた。「銃後も戦場だ」は、この時聞いた標語である。それを身をもって体験したのが、このサイパン、テニアン島から襲ってくる大型爆撃機Ｂ29の絨毯爆撃だった。

空襲が有用な武器となったのは、第一次世界大戦である。この戦後、航空機による攻撃の残酷さを制御するため、一九二三年ハーグで国際会議が開かれている。東北帝国大学教授の田岡良一著『空襲と国際法』（厳松堂、一九三七年）によると、このハーグ会議による空戦法規は、人道主義による空襲禁止を宣言したものではなく、戦争における敵国の経済戦争能力を破壊するため、軍事目標への空爆は正当化してはいる。だが同法規二二条では、「一般人民を威嚇し、軍事的性質を有せざる私有財産を破壊、もしくは非戦闘員を損傷することを目的とする空爆は、これを禁止する」と記された。また無差別爆撃は、かえって敵の一般人民の敵愾心を増し、さらにそのほかの中立国人やその施設を破壊すれば、国際的紛争の種になることを戒めている。だが第二次世界大戦になると、敵国のありとあらゆる施設は、破壊すべき軍事目標となった。すべての敵国人は、憎しみの対象となった。米国では「ジャップを殺せ」が合言葉となった。日本では、敵国を「鬼畜米英」と呼んで、憎悪の対象とした。

この憎しみは「残虐行為」を呼んだ。その結果は捕虜虐待となって現れる。戦後、Ｂ級の戦争犯罪裁判が開かれ、連合軍捕虜を虐待したという捕虜収容所長の日本人将校は死刑となった。だが逆に連合国軍が、日本人捕虜を人道的に扱ったわけではなかった。一九二七年、大西洋の単独横断飛行に成功したチャールズ・リンドバーグは、第二次世界大戦中、米豪連合軍に従軍しているが、その折、日本兵捕虜に対する虐殺、暴行をしばしば目撃した。彼は言う。

わが軍の将兵は、日本人の捕虜や投降者を射殺することしか念頭にない。日本人を動物以下に取り扱い、その欲求は、日本人をむごたらしく皆殺しにすることなのだ。ブルトーザーで片付けた後、墓標も立てずに、「これが黄色の奴らを始末するたったひとつの手さ」と言うのだ。さらに言う。「ドイツ人がヨーロッパでユダヤ人になしたと同じようなことを、われわれは太平洋で、日本人に行ってきたのだ」と。

（『リンドバーグ第二次大戦日記』新庄哲夫訳、新潮社、一九七四年）

一九四五年四月一日、米軍は沖縄に上陸し、六月二十一日にはその戦闘は終わった。四月七日、小磯内閣に代わった鈴木内閣は、和平の方途を探っていたが、国民にはあくまで「必勝の信念」をもっての「聖戦完遂」を説いているように見えた。七月秘かに、中立条約を結んでいたソ連に和平の斡旋を依頼する試みもあったが、これも空しい努力であった。八月六日、広島に原爆投下、八日、ソ連が日本に宣戦布告、九日にはさらに長崎に原爆と、日本は絶望の底に突き落とされた。それでもなお、軍部の中には、本土決戦によって敵に最後の大損害を与えた後に、講和を唱える者があった。それどころか、神風特攻隊の精神にならって、「一億総特攻」さえ主張された。これを文字通り解釈すれば、日本人は戦争によって完全に滅び去る予想すら感ぜられるのである。

八月九日の夜、天皇臨席の下で開かれた最高戦争指導者会議では、ポツダム宣言受諾（無条件降伏）を主張する鈴木首相、米内海相、東郷外相の三人と、条件付き講和（本土決戦の後）を求める阿南陸相、梅津参謀総長、豊田軍令部総長の三人とで対立した。その時、鈴木首相は天皇の「御聖断」を乞い、天皇自らの判断によって、日本の無条件降伏が決定された。

④「終戦」と戦後の日本

八月十五日の朝、ラジオは天皇陛下の「玉音放送」が正午にあると告げていた。多くの日本国民は、天皇陛下の声を聞いたことがなかった。天皇陛下が、直接何を訴えられるのか判らなかったが、よほど重大なことの発表であろうと思われた。だが多くの人々は、当時の雰囲気からして、天皇陛下が、「戦局は頗る重大だが、最後の決戦の決意のもと、奮励努力せよ」との励ましの言葉を放送なさるのであろう、と信じた。天皇陛下の命令で戦争を終える、つまり無条件降伏の予想はなかった。皇軍、すなわち天皇陛下自ら率いる軍隊の敗北は考えられなかったのである。

筆者は自宅で「玉音放送」を聞いた。一緒にいたのは、両親と兄、それに父の友人で軍需会社に勤めていた中年の男二人であった。放送は雑音が混じって聞き取りにくかったが、筆者は、「朕は帝国政府をして、米英支蘇四国に対し其の共同宣言を受諾する旨通告せしめたり」の部分をはっきり聞くことができた。父の友人は、なお戦争続行を信じていたので、ひとりは「負けたのか、ばかやろう」と叫んでその場を走り去った。ほかのひとりは、ただ涙を浮かべて無言のままであった。父は予備役陸軍中将で、戦中、時折軍報道部から、戦争の実情や、九日の最高指導者会議を聞き知っていたが、誰にも知らせてはいなかった。この時、父母、兄、それに筆者は、ただ無言、茫然自失の体であった。その後、これで戦争が終わったと安堵の胸をなでおろしたとの記事が多く見られたが、これは「玉音放送」直後の状況ではない。ただその後、もう「灯火管制」はないと、電灯光が外に漏れないように付けていた暗幕が外されて、家の内外が明るくなった時、はじめて戦争の終了が実感されたのだった。

戦争の終了は、天皇の「御聖断」で決まった。この時、天皇は、「神聖にして犯すべからざる」存在であった。天皇ご自身が決意を述べられる時、「承詔必謹」の伝統が実現したのである。そのお言葉の中で、命を賭けての戦闘の結果、ついに敗戦となった経緯について、詔書の初めの原稿では、「戦局、日に非にして」とあったが、負けたとの印象を弱めるためか、「戦局、必ずしも好転せず」に改められていた。しかも「敗戦」ではなく、ポツダム宣言の受諾による「終戦」とされた。また終戦の第一理由として、広島、長崎に投下された原爆が一般国民に及ぶ前代未聞の被害が強調されていた。

一九四一年十二月八日、日本政府はいかなる目算をもって世界大戦に参入したのであろうか。東条首相はこの時、「男児たる者、一生に一度は清水の舞台から飛び降りる勇気が必要である」と述べている。だが、かの高い舞台から飛び降りたら、十中八九失敗するであろう。また連合艦隊司令長官山本五十六は、平生、ブリッジが趣味であったというが、軍令部の反対を押し切っての真珠湾攻撃は、当時は絶賛されたが、この賭博的な攻撃が、後の戦局から見て、果たしてプラスであったのか。ともかく、日本軍の戦闘開始は、両世界大戦におけるドイツの危険な冒険 Risiko に似ている。

当時の日本政府、軍部は米英との戦争の勝敗について全く楽観視していた。それはナチス・ドイツが間もなくソ連を打倒し、それによってソ連と同盟していた英国も、ドイツと戦闘続行を諦めて講和を求めるであろうと信じたからである。事実、ナチス・ドイツ軍は、一九四一年十二月、ソ連の首都モスクワ及びレニングラード（現在のサンクトペテルブルク）の目前にまで迫っていた。しかし、十二月六日、ソ連軍はモスクワ正面で反撃に転じ、八日ついにヒトラーは、敗北を聞いてモスクワ攻略を断念している。英国首相チャーチルは、勝利の希望に燃え、また米国もナチス・ドイツと結んでいる日本に対して、強硬な要求を突きつける結果になった。十二月八日、日本が開戦すると、チャーチルはこの報に驚喜したという。この頃のドイツの実情については、例えば、スウェーデン駐在大使館武官小野寺中佐は、正確な情報を本国に送っていたが、日本軍部は、ドイツの必勝を信じてこれを全く無視した。かくてドイツ軍が、日々衰退の道を辿ると、日本には、連合国と戦って勝利の希望はなくなっていくのである。

ここで、第二次世界大戦の日本と、日露戦争のそれとを比較してみたい。一九〇四年、日本がロシアとの開戦に際して、満洲派遣軍参謀長児玉源太郎は、勝利の目算を尋ねられて、「五分五分」だが、何とか「六分四分」にしたいと考えていると答えた。その後の戦闘は日本軍の連戦連勝に近かったが、日本軍側の犠牲者も多く、かの奉天会戦の勝利（ロシア軍を殲滅できず敗走させたのみ）の後、児玉は急遽帰国して、政府に直ちに講和に入れと説得している。日露戦争の場合は、米国という仲介者を意識して、常に和平の方途を考えていたのであった。「彼を知り、己を知れば、百戦殆《あやう》からず」との孫子の言は、日露戦争において遵守されていたのである。

九月二日、米戦艦ミズーリ号上で降伏文書の署名が行われた。日本は、ポツダム宣言の履行により、連合国軍の占領下に置かれることになる。日本政府はこの時、占領軍を進駐軍と言い換えて、敗戦の屈辱感を和らげようとした。ただこの進駐軍の構成は、ほとんど米国軍のみで、ソ連軍が含まれなかったのは、不幸中の幸いであった。しかも連合軍総司令部は、日本を直接支配せず、総司令部の監督下で、日本人の自治を認めた。この時政府は、現時点の政治は、連合国軍総司令部の「制限下にある」と称していた。ところが、総司令部は、「制限下」ではなく「従属下」subjectと訳せと命じ、日本の「主権」を否定させた。

この時日本は、まだ旧明治憲法の下にあり、天皇は大日本帝国の統治者として、自ら連合国軍総司令官マッカーサーを儀礼訪問した。その写真が総司令部の命令によって、日本全国の新聞に掲載された。天皇は直立不動の姿勢、マッカーサーは腰に手、足を投げ出すくつろいだ格好で、いかにも目上の人らしく印象づけた。全国民はこれを見て、占領下にある敗戦国の屈辱感を改めて持つことになった。だが、この時以来、昭和天皇の態度は、自己犠牲に満ち、何よりも国民の飢餓状態の解決を願って、総司令官に感銘を与えた。連合国軍のうち、ソ連をはじめオーストラリアなど、天皇制廃止を主張する代表もあったが、この時以後、天皇がマッカーサーに与えた印象から、日本の「天皇制」維持は守られたと考えられる。

翌年の元日、「新日本建設に関する詔書」が発表された。これは前年の十二月十五日、総司令部宗教課の発した「神道指令」に答えるものであった。この詔書の中で、天皇と日本国民との紐帯は、「終始相互の信頼と敬愛とによって結ばれ」単に神話と伝説から生じたものでないこと、また「天皇を現御神とし、日本国民をほかの民族より優越せるものとみなす」ことが否定されている。この詔書は、昭和天皇の「人間宣言」として、多くの日本人に宣伝された。だが昭和天皇はその後、何度かの会見の中で、あれは「人間宣言」が主体ではない。この大戦後の民主主義の日本は、決して「革命的な」変化ではなく、明治維新以来の伝統の連続であると主張された。これは、かの「五箇条の御誓文」の「広く会議を起こし万機公論に決すべし」の条文に示されているという。

昭和天皇はまた、自分が「神である」と思ったことは全くないと述べられた。だが戦前、日本人が天皇を「神様」のように扱ったことは事実である。それでも、日本人の「神観念」は、キリスト教の絶対者たる「全知全能の神」とは異なるものである。どの神もまた人間であった。生前に尊敬された人、権力者等々が神にされたことは、例えば、徳川家康、菅原道真、東郷元帥が神となって神社に祀られる由来をみればすぐにわかることである。

一九四五年の終戦直後、治安維持法が撤廃され、無期懲役によって網走刑務所に収監されていた共産党員、徳田球一、志賀義雄らが釈放され、直ちに街頭で華々しい政治活動が始まった。彼らが共産主義の信念を撤回せずにいたことは、反って人気を集め、駅前広場の演説には大勢の人が集まった。彼らは「天皇制打倒」を叫んだ。しかし大衆の多くは、そこまで聞く耳を持たなかった。その後、野中参三が中国の亡命から帰国すると、党の主張は、天皇制打倒を強く主張せず、それに代わって「米よこせ」運動が展開された。この目的を掲げて一九四六年、彼らの指導による全国ゼネストが準備されたが、マッカーサーの指令によって禁止となった。それ以後、米ソ対立の冷戦状況とともに、共産党の活動は冷遇されるようになる。

その後、天皇は戦後の復興に励む人々を激励、また戦争の犠牲となった遺族の慰問を目的として各地を巡回された。これは戦後になって初めてのことであった。間近に天皇に接して民衆は感激した。以後、天皇と日本人との親密な関係は、新年や天皇誕生日に、多数の民衆が皇居に入り、天皇と祝賀を分かち合うことにも表れた。

この二つの世界大戦後、敗れた国家、ロシア、ドイツ、オーストリア、イタリアの王室は、すべて滅び去った。唯一、日本の皇室のみは、敗戦による旧国家体制の崩壊にもかかわらず安泰であった。神話時代に起源をもつとされ、世界の「王朝」のうち、最も長命な存在と言われた天皇は、今や「大日本帝国の統治者」から「日本国の象徴」として、崇敬というより敬愛の的となった。これは昭和三十四年、皇太子（今の上皇陛下）と正田美智子嬢との結婚以来さらに目立つようになる。皇太子妃は女優のような美人で、外国語が堪能、すぐれた教養の持ち主であり、しかもかつての「華族」出身でないことは、いっそう人気を高めた。そこで皇室に対する意識のうち、「敬愛」の中でも「愛」が深まり、さらにそれは大きな「人気」となって、皇室と国民との関係に新たな一歩が踏み出されたのである。

この前代未聞の大戦が終わった時、日本の多くの都市をはじめ、工業地帯も爆撃や艦砲射撃により、見る影もない焦土と化していた。すべての日本人にとって、今どう生きるかが、さしあたっての課題だった。筆者はこの頃、商工省の官僚だった知人に、戦前のように戻るのに何年かかるかと問うと、その答えは「判らない。まず復興の基礎工事として、道路の再建だけでも五十年だろう」とのことだった。

だが日本の復興の歩みは、予想以上に速やかに進んだ。ことに戦地から復員した人々の国土再建に果たした努力は目覚ましいものがあった。勇敢に戦って死んだ戦友の遺体を戦地に残して、祖国に戻った時、今や国土の復興こそ戦友の死に報いる道と信じたのであろう。一九五〇年の朝鮮戦争による「特需」という想定外の要素もあったが、終戦後十年足らずで、「もはや戦後ではない」との言葉さえ出るほど復興の歩みは早かった。

この第二次世界大戦後の変化を、日本とドイツとを比較してみると、著しい相違が見出せる。戦争が終わるとナチス・ドイツは完全に消え失せていた。ドイツ人は、その時「新しい始まり」を意識した。歴史家フリードリヒ・マイネッケの著『ドイツの破局』（一九四六年）という表題からも、それがうかがえる。西洋史の中で、ギリシャ、ローマの「古代」がゲルマン民族の侵入によって、一気に中世の暗黒時代になったという見解は「破局説」と称されるが、マイネッケはこの「破局」を一九四五年以後のドイツの変化に適用したのである。

終戦後の日本の変化は大きくはあったが、「破局」だけではなかった。それは明治維新以来の「連続」でもあるのである。この歩みの中央には、「天皇制」があった。かつての明治維新の精神は継続し、さらに全く新たな要素を加えて今日に至ったのである。

それでもなお、この大戦によって、根本的に変化したものに、日本人の「死生観」がある。

歌舞伎「忠臣蔵」で名高い大石内蔵助は、「万山重からず、君恩重し、一髪軽からず、わが命軽し」を信条としていたという。これが江戸時代の武士の理想の人生であったが、明治に入ると、命を犠牲にしても実践すべき「忠」や「愛」の目標が「主君」に代わって、「天皇」や「祖国日本」に変わった。

太平洋戦争の末期になると、この「祖国のために」あるいは「天皇のために」、特別攻撃隊と称して、爆弾を搭載した飛行機を丸ごと敵艦に衝突させるという、今まで存在しなかった攻撃の形が実現した。熟練の飛行士の多くが戦死して、巧みに魚雷発射や爆弾投下ができる操縦士がいなくなったからであった。ここに日本人の人生にとって、命が最も軽んじられる状況が生じた。この特別攻撃隊長に最初に選ばれた海軍の関行男大尉は、上官から第一回の隊長にと打診された時、直ちに承諾したが、その後、戦友には、「俺は熟練の飛行士で、特攻隊などでなく、通常の攻撃で何回も敵を倒せるのだが」と言ったという。この関大尉指揮の第一次特攻隊は成功し、大きな戦果をあげた。しかし、その後は、この体当たり攻撃の前に、反撃され墜落する機が多くなった。戦後、ニュース映画で米軍の撮影した記録の中に、日本の特攻機が米軍艦に接近する前に次々と撃墜されるのを見て、やるせない思いを禁じ得なかったのが、筆者の記憶に残っている。このような無駄な特攻の最たるものに、戦艦大和による水上特攻がある。世界最大の巨艦に、三千の将兵を乗せ、往路用のみの燃料をもって、沖縄の米軍基地に突撃して全員玉砕するという「暴挙」であった。この戦闘については、戦後、この艦上にあって辛くも生還した吉田満氏が、戦後発表した『戦艦大和の最期』で、多くの人々に深い感銘を与えた。その中に、次のような記述がある。

「決定的敗北は、単なる時間の問題なり。」「我らが命、旦夕に迫る。何の故の死か」「兵学校出身の中尉、少尉、口を揃えて言う。国のため、君のために死ぬ。それでいいじゃないか。それ以上に何が必要なのだ。」学徒出身の士官、色をなして反問す。「君国のために散る、それは分る。だがそれは、どういうこととつながっているのだ。俺の死、俺の生命、また日本全体の敗北、それを更に一般的な、普遍的な価値というようなものに結びつけたいのだ。これら一切のことは、一体何のためにあるのだ」この論争は鉄拳の雨、乱闘の修羅場となった。

その後、上官の臼淵大尉が言う。「進歩のない者は決して勝たない。負けて目覚めることが最上の道だ。それ以外にどうして日本が救われるか。俺たちはその先導になるのだ。日本の新生に先がけて散る。まさに本望じゃないか」この結論に、あえて反駁する者はなかったと言う。この問答を聞くと、彼らは自らの死を日本人の生のために選んだ。そして日本人は戦後、「生きる」に最高の価値を見出し、それが戦後の奇跡的な復興となったと言えよう。

この大戦が終わって、日本の敗北の始まりは、いつからであったかと反省する人は少なくない。すぐに思いつくのは、日中関係の未解決のまま、空しく四年を費やし、第二次世界大戦に突入した事実である。当時、蔣介石政権の中国の背後には、米英のみならずナチス・ドイツも存在していた。一九三七年、上海での日中間の戦闘が展開する頃、この紛争を円満に終了する可能性は実在した。ドイツがその仲介を買って出た事実も、それを示している。現場の日本の軍司令官の中にも「和平」を求める動きがあった。だが中央で指導する軍部は、国際的視野を持たず、現蔣介石政権の打倒のみをはかり、その背後にある米英ソを敵に回して、第二次世界大戦に参入、そして敗北して、「大日本帝国」終焉の道を辿ったのである。

戦後、戦争を避けて独自の道を進む可能性はなかったか。世界大戦に参入を断行した首相の軍人東条英機でなく、より先見の明がある指導者が存在すれば、日本の道は異なっていたであろうと思う人々は少なくない。

その時、日中戦争が起きる二年前の昭和十年八月、陸軍省内で相沢中佐に斬殺された軍務局長永田鉄山の名が思い出された。彼は、筆者の父中山蕃と同期、陸軍士官学校一六期の親友であったことはすでに述べた。この期の軍人には、ほかに戦争末期の中国派遣軍総司令官岡村寧次、東京裁判で死刑となった大将の板垣征四郎、土肥原賢二など、名だたる人材があげられるが、その中で永田は、当時すでに「永田の前に永田なく、永田の後に永田なし」と言われるほどの人物であった。戦後、もし永田の死がなかったら、日本の運命は変わっていた、と信じる者は少なくない。

出版された永田鉄山に関する数多くの書にも、その見解が見出される。幾つかの書からその例をあげてみる。

◆『秘録　永田鉄山』永田鉄山刊行会編、芙蓉書房、一九七二年

ここには永田と同時代の友人、知人の証言がある。筆者の父も、永田を少年時代からの親友とし、「永田亡き後、世は益々混沌として、ついに世界戦争を引き起こし、日本は敗戦の憂き目にあった。もし永田ありしならば、このような戦争は起こさずに済んだのではないか言う人も多い」と書く。

◆『永田鉄山』森靖夫著、ミネルヴァ書房、二〇一一年

ここには、永田の発言「平和維持は軍人最大の責務なり」が掲げてある。

◆『永田鉄山、昭和陸軍　運命の男』早坂隆著、文春新書、二〇一五年

その帯封には、「東条ではなく、この男だったら太平洋戦争は止められた」と記されている。

◆『昭和陸軍の軌跡、永田鉄山の構想とその分岐』川田稔著、中公新書、二〇一一年

ここでは「分岐」の文字によって、永田の死が日本の運命を変えたことを暗示する。

もとより永田個人の力で、当時の日本陸軍の趨勢は変えられないという見解も少なくない。だが当時の、陸軍という上下関係の厳しい社会の中で、下位の軍人が上官を斬り殺すなど、通常有り得ない事態である。歴史の記述の中で、「イフ」、「永田があの時殺されなければ」の問いは無意味だという。それでも、彼の死は当時の日本にとって、惜しみても余りある事実ではあった。

筆者の三歳年上の兄、中山博夫は、喘息専門の内科医で、戦後、片倉衷氏の主治医であった。片倉氏は永田を尊敬していた後輩で、かの二・二六事件の際、陸軍省前で、拳銃で撃たれて負傷した人物である。終戦時には、陸軍少将であった。兄が診察の後、「永田が殺されなかったら、日本は戦争しなかったでしょうか」と問うと、答えは、「それは確かに、その通りです。だが彼の死後、二・二六事件が起こったのを考えると、彼は相沢中佐でなくとも、かの青年将校たちに殺されていたかもしれません」との答えであった。「神国日本の皇軍」必勝を信じる青年将校たちには、冷静に世界の趨勢を見て、日本の進むべき道を定める永田鉄山を許せなかったのであろう。

あとがき

筆者は一九六五年から一九九七年まで、上智大学文学部史学科において西洋近現代史を担当した。その講義、ゼミナールにおいては、概説のほか、十九世紀後半以後の、ナショナリズム、帝国主義、両世界大戦をテーマとしていた。他方、筆者はベルン大学での学位論文が、スイス政府の要望により、日本・スイス国交百年記念の行事として、幕末における日本・スイス外交の発端に関するものであったから、以後、この時代から明治にかけての日本とドイツ語圏諸国との関係史も研究の対象になった。また東京大学の岩生成一名誉教授の知遇を得て、そのご推薦により、幕末の時代前後の、ドイツ人の日本旅行・滞在記の邦訳も手掛けた。

七十歳になって、完全に定年退職後も、幸いにも歴史研究の機会に恵まれた。二〇〇〇年には、「プロイセン王国成立三百年」の記念行事にベルリンに招かれ、「日本のプロイセン・イメージ、幕末から現代まで」を発表した。その五年後、日露戦争後百年にあたって、論文「ドイツ人、スイス人の日露戦争観戦記」をドイツの雑誌に寄稿した。そして二〇一一年には、「日独国交百五十年」の記念行事として、ドイツで出版された記念誌『プロイセン・ドイツ人が見た幕末日本』に、日独外交の発端について寄稿した。

さらに二〇一五年には、筆者の「米寿記念」に寄せて、ドイツの出版社からの勧めもあり、今までドイツとスイスで発表された論文、記事を『日本から見たプロイセン、スイス、ドイツ』として刊行した。また同時に、スイス人オトフリート・ニッポルトの滞日記録やその日本人論を翻訳して、『西欧化されない日本』と題して、えにし書房から出版した。

その直後、妻の芳子に二度目の脳梗塞の発作、自宅での介護が無理と判り、老人ホームに入ったが、昨年五月二十三日、ついに八十八歳の生涯を閉じた。妻は国文科の出身で、筆者がスイスにあって、日本・スイス関係の学位論文を作成中、東大の資料編纂所を訪れ、『幕末維新外交史料集成』や当時まだ刊行されていなかった「通信全覧」の中のスイスに関する部分をコピーして送ってくれた。その努力は、論文作成に貢献するところ頗る大であった。今改めて、妻を追憶するにあたって感謝の念を禁じえない。

筆者はすでに九十三歳を超えているが、長年にわたる研究ノートを開いてみると、なお未発表のテーマもあり、今、勇をふるって筆をとってみようと決意した。それが本書の両世界大戦の諸問題である。日本に関するテーマは、専門ではないので、筆者の思い出や体験に基づいた記録を主に記した。

二〇二〇年　十二月

中井　晶夫

参考文献

はじめに、及び全体に関するもの

①中井晶夫「歴史と現代史」『現代史研究』四三（現代史研究会、一九九七年）
②マイネッケ著、矢田俊隆訳『ドイツの悲劇』世界の名著㊹（中央公論社、一九七九年）
③ゴーロ・マン著、上原和夫訳『近代ドイツ史』下（みすず書房、一九七三年）
④ヤーコブ・ブルクハルト著、新井靖一訳『世界史的考察』（ちくま学芸文庫、二〇〇九年）
⑤フリッツ・フィッシャー著、村瀬興雄他訳『世界強国への道』（岩波書店、一九六六年）
⑥中井晶夫「第一次世界大戦とドイツ、ドイツの戦争目的政策をめぐる論争」『ソフィア』一四―三（一九六五年）
⑦E・H・カー『両大戦間における国際関係史』（弘文堂、一九五九年）
⑧Otto von Bismarck, Die gesammelten Werke,Bd.8. Berlin 1924. S.64ff.
⑨Bertha von Suttner, Die Waffen nieder, München 1970
⑩Dicter Riesenberger,Geschichte der Friedensbewegung in Deutschland,Von den Anfängen bis 1932, Göttingen1985
⑪Ottfried Nippold,Die Wahrheit über die Ursachen des Europäischen Krieges, Japan, der Beginn des Ersten Weltkrieges und die völkerrechtlichen Friedenswahrung, hrs. von Harald Kleinschmidt und eingeleitet von Akio Nakai, München 2005
⑫Klaus Hildebrand Das vergangene Reich, Deutsche Außenpolitik von Bismarck bis Hitler, Stuttgart 1995

第一次世界大戦に関するもの

①ジャン＝ジャック・ベッケール、ゲルト・クルマイヒ共著、剣持久木、西川暁義訳『仏独共同通史　第一次世界大戦』上
下（岩波書店、二〇一二年）
②ジェームズ・ジョル著、池田清訳『第一次世界大戦の起源』（みすず書房、一九八七年）
③中井晶夫『ドイツ人とスイス人の戦争と平和』（南窓社、一九九五年）
④Wladimir Dedijer, Die Zeitbombe in Sarajewo 1914, Wien 1967
⑤Adam Wandruszka, Das Haus Habsburg, Wien 1956
⑥Hellmut Andics,Der Untergang der Donau-Monarchie, München 1980
⑦Ernst Deuerlein,Die Juli Krise 1914, Berlin 1964
⑧Jost Dürfer(hrsg.) Disposition zum Krieg im wilhelminischen Deutschland, Göttingen 1964
⑨J.R. Salis,Die Ursachen des Ersten Weltkrieges,Stuttgart, 1964
⑩Wolfgang Mommsen, Die latente Krise des deutschen Kaiserreichs 1900-1914, In : Leo Just (hrsg.) Handbuch der deutschen Geschichte,d.4
⑪Walter Laqueur, George L. Mosse(hrsg.) Kriegsausbruch 1914, München 1966
⑫Erik Ritter v. Kuehnelt-Leddihn,Rußland in der Zeit des Weltkrieges, München 1964
⑬Alan J.P.Tayler,The Struggle for Mastery in Europa, 1848-1918, Oxford 1964
⑭Pierre Renouvin,La Crise européenne et la grande Guerre 1904-1918, Paris 1934
⑮Immanuel Geiss, Juli 1914,Die europäische Krise und der Ausbruch des Ersten,Weltkieges, dtv, München 1965
⑯Erich Fromm im freien Gespräch mit H.J.Schulz, in : Schulz (hrsg.) Der 20. Juli, Stuttgart 1974 S8-24

第二次世界大戦およびナチス・ドイツに関するもの

①ワルター・ホーファー著、救仁郷繁訳『ナチス・ドキュメント』（ぺりかん双書2、一九六九年）
②ワルター・ホーファー著、林健太郎、斉藤孝共訳『第二次世界大戦前史――一九三九年夏の国際関係』（御茶の水書房、一九五八年）
③クラウス・ヒルデブラント著、中井晶夫、義井博訳『ヒトラーと第三帝国』（南窓社、一九八七年）
④加藤周一、中井晶夫、三輪公忠編『第二次世界大戦と現代』（東京大学出版会、一九八六年）
⑤ヒトラー著、平野一郎、将積茂訳『わが闘争』上下（角川文庫、一九七三年）
⑥ハラルド・シュテファン著、瀧田毅訳『ヒトラーという男』（講談社、一九九八年）
⑦中井晶夫「ナチスとドイツ人――ヒトラー信奉から抵抗までの間」中井晶夫、三輪公忠編『権力と人間』（彩流社、一九八八年）
⑧同『ヒトラー時代の抵抗運動』（毎日新聞社、一九八二年）
⑨同「国会放火事件の謎」『別冊歴史読本　ナチスとヒトラーの謎』二一―三十（新人物往来社、一九九六年）
⑩同「大衆に与えた明るい未来、ヒトラーに集まった期待」『別冊歴史読本　ヒトラー神話の復活』（新人物往来社、二〇〇〇年）
⑪同『二千冊の伝記に喰い荒されたヒトラー』『新潮45』4―7（新潮社、一九八五年）

〔著者紹介〕

中井 晶夫 (なかい あきお) 上智大学名誉教授

1927 年生まれ、1956 年上智大学大学院西洋文化研究科修士課程修了。
1962 年スイス政府給費生としてベルン大学留学、1965 年、Ph.D 学位取得。
1965 年－1992 年上智大学に、講師、助教授、教授として在職。

主な著書：
『初期日本 = スイス関係史』(風間書房、1971 年)
『ヒトラー時代の抵抗運動』(毎日新聞社、毎日選書、1982 年)
『ドイツ人とスイス人の戦争と平和』(南窓社、1995 年)
Das Verhältnis zuwischen der Schweiz und Japan,Bern 1967
Preussen,die Schweiz und Deutschland aus japanischer Sicht.München 2014
主な訳書：
『オイレンブルク 日本遠征記』上・下 (雄松堂書店、1969 年)
フィリップ・フランツ・フォン・シーボルト『日本』1、2 巻、(2 巻は斉藤信共訳、雄松堂、1977・78 年)
ヴィルヘルム・ハイネ『世界周航日本への旅』(雄松堂書店、1983 年)
クラウス・ヒルデブラント『ヒトラーと第三帝国』義井博共訳 (南窓社、1987 年)
オトフリート・ニッポルト『西欧化されない日本』(えにし書房、2015 年)

二《ふた》つの世界《せかい》大戦《たいせん》への道《みち》　ドイツと日本《にほん》の軌跡《きせき》から

2021年 2月 10日 初版第1刷発行

■著者　中井晶夫
■発行者　塚田敬幸
■発行所　えにし書房株式会社
〒102-0074 東京都千代田区九段南 1-5-6　りそな九段ビル 5 階
TEL 03-4520-6930　FAX 03-4520-6931
ウェブサイト　http://www.enishishobo.co.jp
E-mail　info@enishishobo.co.jp

■印刷／製本　三鈴印刷株式会社
■ DTP・装幀　板垣由佳

© 2021 Nakai Akio ISBN978-4-908073-79-3 C0022

定価はカバーに表示してあります。乱丁・落丁本はお取り替えいたします。

本書の一部あるいは全部を無断で複写・複製（コピー・スキャン・デジタル化等）・転載することは、法律で認められた場合を除き、固く禁じられています。

ISBN978-4-908073-09-0 C0021

西欧化されない日本

スイス国際法学者が見た明治期日本

オトフリート・ニッポルト 著／中井 晶夫 編・訳

四六版／上製／定価：2,500 円+税

日本躍進の核心は
西欧化されない本質にこそあった！

親日家にして、国際法の大家が描く明治日本。三国干渉に異を唱え、大戦時代のヨーロッパにあって国際平和を説き続け、優れた洞察力で時代の暗雲に立ち向かった稀有な国際法学者が、公平な立場で論じた異色の日本論。

驚くべき卓見で予測した日本の未来は……

《本書の主な内容》

第Ⅰ部『日本逍遥記』 Wanderungen durch Japan, Jena 1893.

明治期、日本各地を逍遥し、日本人とじかに接したニッポルトの目に映った日本の姿とは……。旅行中の手紙をもとに編まれた本。

第Ⅱ部『開国後五十年の日本の発展』

Die Entwicklung Japans in den letzten fünfzig Jahren, Bern 1904.

日露戦争中、大国と戦えるまでになった日本の発展、強国化の原因は何かをスイス人相手に語ったベルン地理学協会での講演録。

第Ⅲ部『西欧化されない日本を見る』

Ein Blick in das europafreie Japan, Frauenfeld 1905.

日露戦争後、東洋の一島国の日本が世界の強国にこれほどの勝利を収めた原因は何かを考察。

◆オトフリート・ニッポルトについて

ニッポルトとはいかなる人物か、彼の人となりを訳者が詳しく解説。

周縁と機縁のえにし書房

ドイツ外交史 プロイセン、戦争・分断から欧州統合への道

稲川 照芳 著

四六判／並製／定価：1,800円+税／ISBN978-4-908073-14-4 C0022

ベルリン総領事、ハンガリー大使を務めた外交のエキスパートが記した、わかりやすいドイツ近現代史。ドイツ外交を通史的に振り返ることを通して、現在の日本が得るべき知恵を探り、歴史問題と外交のあり方を問う。

ドイツ外務省〈過去と罪〉

第三帝国から連邦共和国体制下の外交官言行録

国立歴史委員会／稲川 照芳・足立 ラーベ 加代・手塚 和彰 訳

A5判／上製／定価：10,000円+税／ISBN978-4-908073-40-3 C0022

フィッシャー外務大臣の下で、外務省が設立した「独立歴史委員会」によって公刊された調査研究書の訳。ドイツ外務省のナチス政権への協力の実態と、戦後どのように向き合ったかを個人の言動を通して生々しく描き、追及した第一級資料。

第一次世界大戦 平和に終止符を打った戦争

マーガレット・マクミラン 著／真壁 広道 訳／滝田 賢治 監修

A5判／上製／定価：8,000円+税／ISBN978-4-908073-24-3 C0022

世界中で話題を呼んだ *The War That Ended Peace: How Europe Abandoned Peace for the First World War* の邦訳。第一次世界大戦以前に欧州が経験していた大きな変容を描き、なぜ平和な大陸が混乱に沈んでいったのかを明確に説明。

フランス人の第一次世界大戦

戦時下の手紙は語る　　大橋 尚泰 著

B5判／並製／定価：4,000円+税／ISBN978-4-908073-55-7 C0022

第一次世界大戦に従軍した兵士たちや家族による、肉筆で書かれた葉書や手紙の原物に当たり、丁寧に判読、全訳と戦況や背景についての詳細な注や解説を付す。約200点の葉書・手紙の画像を収録した史料的価値も高い1冊。

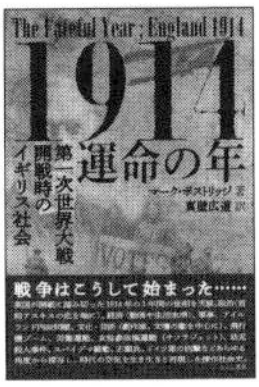

1914 運命の年 第一次世界大戦開戦時のイギリス社会

マーク・ボストリッジ 著／真壁 広道 訳

A5判／並製／定価：3,900円+税／ISBN978-4-908073-61-9 C0022

英国が開戦に踏み切った1914年の1年間の世相を天候、政治、経済、軍事、文化・芸術、飛行機ブーム、労働運動、ドイツ軍の砲撃などをあらゆる角度や視点で描写し、時代の空気を生き生きと再現した傑作社会史。

周縁と機縁のえにし書房

語り継ぐ戦争 中国・シベリア・南方・本土「東三河８人の証言」

広中 一成 著

四六判／上製／定価：1,800 円＋税／ ISBN978-4-908073-01-4 C0021

かつての軍都豊橋を中心とした東三河地方の消えゆく「戦争体験の記憶」を記録。気鋭の歴史学者が、いまだ語られていない貴重な戦争体験を持つ市民８人にインタビューし、解説を加えた次世代に継承したい記録。

丸亀ドイツ兵捕虜収容所物語

髙橋 輝和 編著

四六判／上製／定価：2,500 円＋税／ ISBN978-4-908073-06-9 C0021

映画の題材にもなった板東収容所に先行し、模範的な捕虜収容の礎を築いた丸亀収容所に光をあて、その全容を明らかにする。公的記録や新聞記事、日記などの豊富な資料を駆使、収容所の歴史や生活を再現。

〈新装版〉禅と戦争 禅仏教の戦争協力

ブライアン・A・ヴィクトリア 著／エイミー・R・ツジモト 訳

四六判／並製／定価：3,000 円＋税／ ISBN978-4-908073-19-9 C0021

禅僧たちの負の遺産とは？ 客観的視点で「国家と宗教と戦争」を凝視する異色作。人の道を説き、「死の覚悟、無我、無念、無想」を教える聖職者たち。禅仏教の歴史と教理の裏側に潜むものを徹底的に考察する。

〈改訂新版〉鉛筆部隊と特攻隊 近代戦争史哀話

きむら けん 著

B6 判／並製／定価：2,000 円＋税／ ISBN978-4-908073-70-0 C0021

太平洋戦争末期、信州松本の浅間温泉に滞在中の特攻隊と世田谷の代沢小学校の学童疎開児童（鉛筆部隊）との間の心温まる交流を発掘した感動ノンフィクション。刊行直後から、話題となり、特攻隊史に一石を投じた本書。改めて史実などを加え、改訂新版として新たに刊行。

〈復刻版〉アラス戦線へ 第一次世界大戦の日本人カナダ義勇兵

諸岡 幸麿 著／大橋 尚泰 解説

四六判／並製／定価：3,900 円＋税／ ISBN978-4-908073-62-5 C0022

第一次世界大戦でカナダ在住の日本人が志願兵（カナダ義勇兵）として勇敢に戦った。北仏アラス戦線で重傷を負った諸岡幸麿が書いた幻の回想録を忠実に翻刻。これまで未解明だった点を明らかにした詳細な解説と注を付す。